SGIALACHDAN DHUNNCHAIDH

SGIALACHDAN DHUNNCHAIDH

SEANN SGIALACHDAN AIR AN GABHAIL LE DUNNCHAIDH
MAC DHOMHNAILL AC DHUNNCHAIDH, UIBHIST A DEAS,
MAR A CHUAL E AIG ATHAIR FHEIN IAD

1944

AIR AN SGRIOBHADH LE

K. C. CRAIG

Printed and Published for K. C. Craig by
ALASDAIR MATHESON & Co. Ltd.
GLASGOW

CLAR-INNSIDH

EACHDRAIDH MHANUIS

Chuala mise siod a bh' ann—Rìgh Lochlann, agus mar a bha Rìgh Lochlann ann, phòs e. Rugadh an sin mac dha, agus thug e Arailt mar ainm air. Ann an ceann ùine rugadh mac eile dha, agus thugadh Iaorlainn a dh' ainm air. Thàinig an seo bochdainn air Rìgh Lochlann, agus dh' eug e ; agus ghabh dà stàta dhiag uallach na rìoghachd gan ionnsaigh fhéin gos an tigeadh an t-oighre go ìre a gabhail.

Nuair a thàinig an t-oighre go aois, chuir an dà stàta dhiag brath air go bòidean na rìoghachd a ghabhail a nist ga ionnsaigh fhéin ; agus ciod a b' e an t-oighre, chuir e cùl ris a sin a dhianamh.

" An dà," ors àsan, " bheir sinne dha d' bràthair i."

" Cha rìgh mì-dligheach liumsa mo bhràthair tighean a stoigh air m' uachdar idir," ors esan.

Chuir na stàtachan fios air Iaorlainn, agus dh' innis iad dhà gur ann air son bòidean na rìoghachd a ghabhail ga ionnsaigh fhéin a bhà iad.

" Ma tà," orsa Iaorlainn, " tha bràthair agamsa as sine 's as inbhiche na mi fhìn, comhla ris gura h-è an t-oighre. Dh' fhaodadh a mhac fhathast Lochlann a thoirt bhuamsa, agus mar sin cha ghabh mi turas rithe."

" Ma tà," orsa na stàtachan, " bheir sinn an rìgh mì-dligheach eile a stoigh nur n-àite-se, agus cha bhi cuid no còir agaibh dhith."

" Ma tà," orsa Iaorlainn, " air eagal sìbhse sin a dhianamh, gabh-aidh mise bòidean na rìoghachd gam ionnsaigh fhìn."

Chaidh Iaorlainn a chrùnadh 'na rìgh air Lochlann.

Ann an ceann ùine, gu dé ach a smaointich Iaorlainn air pòsadh, agus có an té a rachadh e dh' iarraidh ach Nighean Rìgh na Gréige Móireadh, agus phòs iad.

Smaointich Arailt an sin, o 'n a bha a bhràthair a b' òige na e air pòsadh, gu robh an t-àm aige fhéin a dhianamh. Có an té a rachadh e dh' iarraidh ach Nighean Sgeithein Sgiathalain nic Africa nic Rìgh na Haf, agus phòs iad.

Ann an ceann ùine as a dheaghaidh sin, " An dà," orsa Nighean Sgeithein Sgiathalain, "'s ann dhomh fhìn a bu chòir a bhith 'nam bhannrigh air Lochlann, agus 's ann aig an fhear a tha comhla rium a bha còir air a bhith 'na rìgh air. Ach o nach eil sin mar sin, bu shuarach an rud ged a gheobhainn aon iarradas beag neonach."

" Dé an t-iarradas a tha sin ? " orsa Clann an Dà Chomhairleach Dhiag.

" Thà," ors ise, " mi fhìn a thuisleadh air leanabh mic agus a' Bhannrigh a thuisleadh air leanabh mic eile, agus an aon togail 's an aon àrach agus an aon ionnsachadh a thoirt dha na gillean."

" Ma tà," orsa Clann an Dà Chomhairleach Dhiag, " cha do dh' iarr thu as an rathad idir, agus gheobh thu sin."

Ann an ceann úine, thuisleadh a' Bhannrigh air leanabh mic, agus 's e Eochaidh a thugadh a dh' ainm air. Thuisleadh an sin Nighean Sgeithein Sgiathalain air leanabh mic eile, agus 's e Mànus a thugadh a dh' ainm air. Bha iad a' toirt an aon togail 's an aon àrach dha na gillean gos na dh' fhàs iad suas go ìre cluichd buill agus camain.

1

Latha dhe na lathaichean, bha Mànus a muigh air an raon ag
iomain agus a sheiseir chomhdhaltan aige, agus bha Eochaidh ann
agus a sheiseir chomhdhaltan fhéin aige. Thòisich a' chluichd. Dh'
fhalbh Mànus agus bhuail e ball agus ruith e ball agus chuir e ball.
"Chuir thu ball, a Mhànuis," ors Eochaidh.
"Chuir," orsa Mànus.
"'S gu dé nì mise dheth sin?" ors esan.
"Cha dian," orsa Mànus, "ach gun toir mise dhut triùir dhe m'
sheiseir chomhdhaltan fhìn." Agus rinn e sin.
Dh' fhalbh Mànus, agus bhuail e ball agus ruith e ball agus chuir
e ball.
"Chuir thu ball. a Mhànuis," ors Eochaidh.
"Chuir," orsa Mànus.
"'S gu dé nì mise dheth sin?" ors esan.
"Cha dian," orsa Mànus, "ach gun toir mise dhut an triùir eile
dhe m' sheiseir chomhdhaltan fhìn agus gun téid mi fhìn rìbh nur
trì fir dhiag."
Rinn e sin. Bhuail e ball agus ruith e ball agus chuir e ball.
Ach có bha coimhead a mach air bàrr mór ach Nighean Rìgh na Gréige
Mòireadh. Thàinig a cruth go eucruth agus thuit a comhdach rìoghail
bharr a cìnn a stoigh air a' bhòrd. "A Rìgh agus fhir an taighe,"
ors ise, "bheil fhios agad có bheir bhuat an rìoghachd fhathast?"
"An dà, chan eil," ors esan.
"Ma tà, bheir," ors ise, "aona mhac do bhràthar, agus b' ann dhe
m' aimhleas crìoch mhurt agus mhillidh agus mharbhaidh a chur air
mun rachadh e na bu chruaidhe no na bu làidire na thà e."
"Tà, cha leig Dia dhomh fhìn," ors an Rìgh, "gun dian mi sin
air aona mhac mo bhràthar agus gun a thuar air gin mhic no nighinn
a bhith aige ach e fhéin."
"Mura dian thus' e," ors ise, "nì mis' e."
Ghabh i mach agus thug i pais bheag a chùl a dùirn dha mac
fhéin anns an leithcheann agus thug i Mànus a stoigh leatha. Cha
robh sian a chitheadh i air chùl a cinn no air clàr a h-aodainn nach
tugadh i roinn dheth do Mhànus.
Ach gu dé ach a chuala a mhàthair gu robh Mànus a mac fhéin
na leithid seo do ghàird agus do dh' fhurain aig a mhuime. 'S ann
a thàinig i a choimhead air, agus cha ghabhadh i seòmbar cadail an
oidhche sin ach comhla ri Mànus.
Nuair a chaidh iad a chadal: "Seadh," ors ise ri Mànus, "dé a
nist an ceann tha do mhuime dianamh riut?"
"Thà," orsa Mànus, "ceann nach d' rinn athair no màthair,
piuthar no bràthair, cinneadh no càirdean ri duine riamh—sin an
ceann a tha i dianamh riumsa."
"Ach, a Mhànuis," ors ise, "bheil fhios agad gu dé a' chomhairle
a bheirinn-s' ort?"
"Chan eil," orsa Mànus.
"Thà," ors ise, "a cuid a ghabhail 's gun a comhairle a ghabhail."
"Ud, ud," orsa Mànus, "chan fhuiling solus sin fhaicean."
"O, 's fheàrr an t-ath fhacal, a Mhànuis," ors ise.
"Chan fheàrr no an treas facal," orsa Mànus.

2

Nuair a dh' éirich ise 's a' mhadainn, leis an fheirg a bh' oirre cha do dh' fhan i ri biadh maidneadh, ach dh' fhalbh i air chiallaidh.

Air treis dhe 'n latha, thàinig a mhuime stoigh far an robh Mànus. " Seadh," ors i fhéin, " cuid eile sin a' chomhairle a thug do mhàthair ort an raoir ? "

" Cha tug i comhairle sam bith ormsa," orsa Mànus, " bha comhairleach a b' fheàrr na i agam bho chionn treiseadh."

" O, cha ruig thus' a leas a bhith 'g ràdhtha sin, a Mhànuis, a chionn nam biodh mo mhac-sa na leithid eile do ghàird 's do dh' fhurain aicese 's a tha thus' agamsa, bheirinn fhìn comhairle air."

" Ma tà," orsa Mànus, " cha robh mo rùn fhìn riamh gam losgadh. 'S e a' chomhairle a thug i ormsa do chuid fhéin a ghabhail 's gun do chomhairle a ghabhail."

" 'N e sin a' chomhairle a thug a' bhean dhona shocharach gun chéill ort ? "

" 'S è," orsa Mànus.

" Ach, a Mhànuis," ors ise, " bheil fhios agad dé tha mise smaointean an diugh ? "

" Chan eil," orsa Mànus.

" Thà," ors ise, " thusa a phòsadh an diugh agus mo mhac fhìn a phòsadh a màireach."

" Ach cà bheil té air an t-saoghal," orsa Mànus, " a ghabhadh mise nam phàisde mar seo ? "

" O," ors ise, " leig thus' eadar mi fhìn agus bean fhaighean dhut ; agus gheobh thusa an treas cuid a dh' òr 's a dh' airgead Lochlann, agus gheobh thu an treas cuid do dh' fhonn 's do dh' fhiar 's do thalamh Lochlann, agus bidh tu glé mhath dheth."

Dh' fhalbh i le Mànus, agus ràinig i fear a bh' air an fhearann aca fhéin ris an cante Iarla na Fiùdhbhaidh. Neo air thaing nach robh basan sgaoilte romhpa aig an Iarla.

" O," ors a' Bhànrighinn, " cho math agus gu bheil seo, dh' fheumamaide fios ar gnothaich fhaotainn."

" Dé tha sin ? " ors an t-Iarla.

" Thà," ors ise, " Mànus mac Arailt an déis tighean a dh' iarraidh do nighinn fhéin gos a pòsadh."

" Ma tà," ors an t-Iarla, " tha mo nighean-sa aig aois fir, ach chan eil esan aig aois mnathadh : nam bitheadh, cha bu bhean choimheach dhà mo nighean-sa idir. Ach cha dianadh iad ach a dhol bàs comhladh."

" O," ors ise, " 's fheàrr an t-ath fhacal."

" Chan fheàrr," ors an t-Iarla, " no an treas facal."

" Ma thà," ors ise, " mum bi e aon uair diag a màireach, na biodh each no mart no caora no sian eile a bhuineas dhut an taobh a stoigh crìochan Lochlann, air neo bheir mi fo-near do chrochadh cho àrd 's a thogas cainb thu."

Smaointich an t-Iarla gu robh an imprig trom agus an ùine goirid agus gum b' fheàrr dhà a nighean a thoirt seachad.

Chaidh Mànus agus Nighean Iarla na Fiùdhbhaidh a phòsadh. Dh' fhalbh a mhuime dhachaidh agus dh' fhàg i ann a sin e.

Nuair a dh' éirich Mànus air làirne mhàireach, " Cuid seo, a Mhànuis, a mhithich agus a dhuine dhona, a bhitheas a nist nad

3

mhitheach agus nad dhuine dona agus a mac-se na dhuine mór foghainteach deas glan ! ' ors Iarla na Fiùdhbhaidh.

" O," orsa Mànus, " càit a bheil a' bhean a gheall i fhaighean dha mac fhéin an diugh ? "

" O, thà," ors Iarla na Fiúdhbhaidh, " a ghaol luath lomasgaidh a' falbh ag iarraidh cath agus àir agus iongnaidh dha fhéin feadh an t-saoghail, agus bu ghòrach a' bharail dhà gura h-ann ri mnaoi shaoghalta a rachte ga phòsadh na phàisde mar a phòs thusa."

" Nach bi mi gu math ma gheobh mi an treas bonn a dh' òr 's a dh' airgead Lochlann ? " orsa Mànus.

" O, gheobh thu sin," ors an t-Iarla, " cha dian i briag ann a sin dhut."

" An treas cuid a dh' fhonn 's a dh' fhiar 's a thalamh Lochlann ? "

" O, tha sin air fhàsachadh," ors an t-Iarla, " o chionn dà chiad bliadhna aig caoirich chorcnaich."

" Ma tà, chan eil dúil am," orsa Mànus, " nach falbh mi an diugh a choimhead oirre."

Sgeadaich e e fhéin agus dh' fhalbh e agus ràinig e a mhuime.

" Cuid seo, a Mhànuis," ors i fhéin, " a mhithich agus a dhuine dhona, a bhitheas a nist nad mhitheach agus nad dhuine dona agus mo mhac-sa na dhuine mór foghainteach deas glan ! "

" Càit a bheil a' bhean a gheall thu fhaighean dha d' mhac fhéin an diugh ? "

" O, thà," ors ise, " a ghaol luath lomasgaidh a' falbh ag iarraidh cath agus àir agus iongnaidh dha fhéin feadh an t-saoghail, agus bu ghòrach a' bharail dha gura h-ann ri mnaoi shaoghalta a rachte ga phòsadh na phàisde mar a phòsadh tusa."

" Nach fhaigh mi an treas bonn a dh' òr 's a dh' airgead Lochlann ? " orsa Mànus.

" Gheobh thusa," ors ise.

" An treas cuid a dh' fhonn 's do dh' fhiar 's do thalamh Lochlann ? "

" Tha sin," ors ise, " air fhàsachadh anns an t-Seana Bhoirbh bho chionn dà chiad bliadhna aig caoirich chorcnaich."

" Tha mi faicean," orsa Mànus, " nach eil móran agam ri fhaotainn, ach thoir dhomh Clann an Dà Chomhairleach Dhiag comhla rium go ceann latha 's bliadhna dha 'n t-Seana Bhoirbh."

" Gheobh thu sin," ors ise, " ach thig gam choimhead aig ceann na bliadhna."

Dh' fhalbh e fhéin agus Clann an Dà Choimhearlach Dhiag dha 'n t-Seana Bhoirbh, agus thug e leis a bhean.

Thòisich iad ri marbhadh nan caoirich chorenaich agus toirt dhiubh na clòmhadh. Leis cho pailt 's a bha iad, thòisich iad air tuill a dhianamh anns an talamh agus a' cur sgolban-fiodha nan stob annta, agus nuair a theannadh na caoirich ri ruith 's ri luasgan, bha iad a' dol anns na sluic seo, agus bha na sgolban fiodha dol romh 'n bhroinn aca agus gam marbhadh.

Ach latha dhe na lathaichean, gu dé ach a bha long mhór dol seachad anns an t-seanal.

" An dà," orsa màighstir na luingeadh, " tha mi dol seachad anns

4

an t-seanal a th' ann a seo bho chionn ciad bliadhna, agus bha m'
athair a' dol seachad ciad bliadhn' eil' ann, agus chan fhac a h-aon
againn smúid anns an t-Seana Bheirbh gos an diugh. 'S fheudar gu
bheil coigreach anagnàthaichte air choreigin an déis tighinn a staigh
air an rìoghachd, air neo tha boinne dhe 'n fhuil rìoghail fo gheasaibh.
Ach 's e rud a nì sinn—éibhidh sinn dhaibh a trompaid am b' ion-
thaobhst' iad, agus masa h-eadh, gun téid sinn a stoigh, agus mura
h-eadh, gun gabh sinn seachad."

Dh' éibh iad do Mhànus a trompaid am b' ion-thaobhst' iad, agus
dh' éibh Mànus dhàibh gu dearbhtha gum b' eadh.

Thàinig iad go tìr, agus chaidh sgiobair an t-soithich agus àireamh
dhe na seòladairean suas dha 'n t-Seana Bheirbh, agus chaidh bòrd a
chuibhrigeadh air am bialaibh le biadh 's le deoch. Cha robh fios
aig màighistir na luingeadh air an t-saoghal gu dé bu sgialt dha 'n
dà fhear dhiag a bha feitheamh dha 'n bhòrd, gun fios aige có bu
mhutha na bu lugha, bu shine no a b' òige, bu bhòidhche no bu
ghràinnde dhe 'n dà fhear 'eug.

Ach gu dé ach a thug fear a Chlann an Dà Chomhairleach Dhiag
an aire do thlàm do chlòimh nan caorach a' nochdadh a mach ann an
àiteigin goirid dha 'n bhòrd. Chrom e ga phutadh a stoigh.

"Gu dé tha sin agad, fhir?" orsa màighistir na luingeadh.

" O, chan eil," orsa Mànus, " ach rud nach eil turus aige ri tighean
ancomhair àite am bi biadh mar seo."

" O, sealla sìbhse nall e," ors am màighistir, " agus cha téid dad
dheth an comhair a' bhithidh."

Shealladh dha an uair sain tlàm do chlòimh nan caoirich
chorcnaich.

" Ma tà," ors am màighistir, " 's ann an seo a tha am feust rìoghail
agus am feust feudalach. Agus tha mi smaointean gura h-ann agam
fhìn a tha am bàta as feudalaiche a th' air muir, agus nam biodh
luchd mo luingeadh agam dheth seo, bheirinn dhut an luchd a th'
ìnnte do dh' òr 's do dh' airgead 's do dh' airm 's do dh' aodach."

" Ma tà," orsa Mànus, " 's bargan e."

Thòisich iad ri cur sìos na clòmhadh a dh' ionnsaigh na luingeadh.
Cha robh luchd a rachadh sìos nach tigeadh luchd a dh' òr 's do dh'
airgead 's do dh' airm 's do dh' aodach a nuas, air chor agus gu robh
luchd clòmhadh air a chur sìos agus gu robh luchd na luingeadh air
a thoirt a nuas 'na àite. Neo air thaing nach robh Mànus air a dheagh
dhòigh. Dh' fhalbh màighistir na luingeadh agus dh' fhàg e slàn aig
Mànus.

Bha e an seo a' teannadh suas go ceann na bliadhna bho'n thàinig
Mànus dha 'n t-Seana Bheirbh.

"An dà," ors esan, " 's ann a bhliadhna gos an diugh a gheall mi dha
m' mhuime dhol a choimhead oirre. 'S ann as fheàrr dhomh falbh.''

" Ma tà," ors a bhean, " fàg Clann an Dà Chomhairleach Dhiag a
stoigh comhla riumsa."

" Chan fhàg," orsa Mànus. " 'S suarach a chuid rìgh rìoghachd
dha m' chois fhìn iad." Agus sgeadaich e a h-uile fear aca ann an
deis' Albannaich, agus dh' fhalbh e a choimhead air a mhuime.

Nuair a nochd iad ris a' phàileas, có bha coimhead a mach air bàrr mór ach Nighean Rìgh na Gréige Móireadh. Thàinig a cruth go eucruth agus thuit a comhdach rìoghail bharr a cìnn a stoigh air a' bhòrd.

"A Rìgh agus fhir an taighe," ors ise, "bheil fhios agad có bheir bhuat do rìoghachd fhathast?"

"An dà, chan eil," ors esan.

"An dà, bheir," ors ise, "aona mhac do bhràthar, agus b' ann dhe m' aimhleas crìoch mhurt agus mhillidh agus mharbhaidh a dhianamh air mun rachadh e na bu chruaidhe no na bu làidire na thà e."

"An dà, cha leig Dia dhomh fhìn," ors an Rìgh, "gun dian mi sin air aona mhac mo bhràthar agus gun a thuar air gin mhic no nighinn a bhith aige ach e fhéin."

"Agus rud eile dheth," ors ise, "'s ann air an fheadhainn a tha comhla ris a' tighean a tha a choltas gu bheil iad comhla ris an rìgh, agus chan ann nuair a bha iad comhla riu'sa. Ach mura dian thus' e, nì mis' e."

Ghabh i mach, agus chuir i fàilt air Mànus. Agus thug i fo-near Clann an Dà Chomhairleach Dhiag a chur ann an dà phrìosan dhiag far nach fhaiceadh an dàrna fear am fear eile.

"Falbh a nist," ors ise, "agus iad siod air an toirt bhuat; ach thig gam choimhead-sa bliadhna o an diugh."

Dh' fhalbh Manus, agus e gu math muladach. Ach có a choinnich e ach Fear an Earraidh Dheirg.

"Cuid seo, a Mhànuis?" ors esan. "'S mór an sprochd 's am mulad 's an lionn-dubh a th' or aire."

"An dà, chan eil mi falamh dheth," orsa Mànus.

"'S math tha fios do smaointean agam," orsa Fear an Earraidh Dheirg.

"Seadh," orsa Mànus.

"Tha thu smaointean," ors e fhéin, "nam biodh an t-olc no a mhath do dh' arm agad, gum b' fheàrr leat t' anam a mhintrigeadh ris an t-Seana Bheirbh na fuireach air falbh o 'n toigh an déis cuideachd a thoirt leat."

"An dà, tha mi ga smaointean sin," orsa Mànus.

"Ma tà," orsa Fear an Earraidh Dheirg, "bha mise nam fhear thasgaidh arm aig t' athair 's aig do sheanair 's aig dó shinnseanair, agus ma gheallas tusa dhomhsa gum bi mi nam fhear thasgaidh arm agad fhéin nuair a gheobh thu an rìoghachd sa dhut fhéin, bheir mi dhut airm air chor agus gum faod thu t' anam a nochd a mhintrigeadh ris an t-Seana Bheirbh?"

"An dà, tha mi cinnteach," orsa Mànus, "nach bi an rìoghachd sa agamsa gu bràth, ach bu chòir dhomh cead a bhith agam a bhith beò air a h-uachdar: ach ma thachras sin luath no mall, bidh thusa nad fhear thasgaidh arm agam."

Dh' fhalbh iad a stoigh, agus a h-uile claidheamh a bheireadh Fear an Earraidh Dheirg a Mhànus, bha e ga chrathadh 's ga bhristeadh.

"Na bi dianamh do chall fhéin, a Mhànuis," orsa Fear an Earraidh Dheirg, "agus 's e a tha thu dianamh. Dh' fhaoidte ged nach freagradh na h-airm sin ortsa gum freagradh iad air duin' eile. Ach nuair a bha mise nam dhuin' òg, thug mi claidheamh cruadhach agus lúireach chruadhach agus clogada cruadhach as an Abhainn Tuaidh, agus dh' fhaoidte gura h-èad a b' fheàrr a fhreagradh ortsa fhathast."

Rug Mànus air a' chlaidheamh, agus·ged a chuireadh e a dhà cheann cuideachd, rachadh e na àite fhéin a rithist.

"O, sin, a Mhànuis," ors esan, "nuair a fhuair thusa an t-arm a fhreagradh ort."

Chunnaic Mànus an seo brat beag roimhe lúib na bha sgaoilte air an ùrlar.

"Dé feum airm tha siod?" orsa Mànus.

"Sin arm cho math 's a tha stoigh," orsa Fear an Earraidh Dheirg. "Ciod a bhiodh fear do mhairbh a' tighean nad choinneamh, cha robh agad ach sin a sgaoileadh roimhe, agus thigeadh e air a mhìogaibh s' air a mhàgaibh 's air uilnean, agus bheireadh e pòg a chùl do dhùirn, 's ghabhadh e seachad."

"An dà, bheir mi liùm e," orsa Mànus.

Chunnaic e seo brat eile air an ùrlar.

"Dé feum airm tha siod?" orsa Mànus.

"'S e arm fuathasach feumail tha sin," orsa Fear an Earraidh Dheirg. "Ciod a bhiodh tu fhéin agus dà chiad fear a mach air mullach beinneadh ris an t-sìde as miosa bhiodh ann—'s e sin fliuch shneachda, bhiodh sibh cur nan ceòthan fallais dhìbh fo 'n bhrat sin."

"Ma tà, bheir mi liùm e," orsa Mànus.

Chunnaic e seo slabhraidh iarainn air an ùrlar.

"Dé feum airm tha siod?" orsa Mànus.

"Chan eil creutair a chuireadh tu sin ma amhaich," orsa Fear an Earraidh Dheirg, "nach biodh spionnadh ciad gaisgeach a' cur leis."

"Ma tà, bheir mi liùm e," orsa Mànus, "agus tha mi smaointean gum faod mi nist mintrigeadh ris an t-Seana Bheirbh." Agus dh' fhalbh e.

Air an rathad, gu dé ach a bha dà leóghann roimhe aig taobh aibhneadh agus iad ag iasgach agus cuilein leóghainn comhla riu. Thug iad an aire do Mhànus mun tug Mànus an aire dhàibh, agus thàinig iad na choinneamh ann an coltas gu robh iad a' dol ga sgath bharr an t-saoghail. Smaointich Mànus, ma bha feum anns a' bhrat a fhuair e, gu robh an t-àm aige a sgaoileadh.

Sgaoil e mach am brat romhpa, agus thàinig na leóghainn air am mìogaibh 's air am màgaibh 's air an uilnean, agus thug iad pòg ma seach a chùl a dhùirn, agus ghabh iad seachad. 'S e an cuilein a bh' air deireadh, agus phaisg Mànus ann an lúib a' bhrat e.

Nuair a chaidh e dhachaidh, chàirich e an t-slabhraidh iarainn ma amhaich a' chuilein leóghainn, agus leig e mar sgaoil e. Ach cha d' fhuair esan athais riamh go cur as dha na caoirich chorcnaich cho math ris a' chuilein leóghainn.

Ach bha seo teannadh suas go ceann na bliadhna o 'n a bha e coimhead air a mhuime.

"An dà," ors esan ris a' mhnaoi, "'s ann a bhliadhna chon an diugh bha mi coimhead air mo mhuime ma dheireadh, agus gheall mi dhith gu rachainn ga coimhead aig ceann na bliadhna."

7

"Ma tà," ors a bhean ris, "'s olc an gnìomh muime tha i dianamh riut gach uair a théid thu dh' amharc oirre."

"Cha dubhairt sin dad," orsa Manus. "Cha bhi briag aic' orm."

"Ma tà," ors ise, "fàg comhla riumsa an cuilein leóghainn."

"Chan fhàg," ors esan, "'s suarach a chuid rìgh rìoghachd dha m' chois fhìn e." Agus dh' fhalbh e.

Có bha coimhead a mach air bàrr mór nuair a nochd e ach Nighean Rìgh na Gréige Móireadh, agus thàinig a cruth go eucruth, 's thuit a comhdach rìoghail bharr a cìnn a staigh air a' bhòrd.

"A Rìgh agus fhir an taighe," ors ise, "bheil fhios agad có bheir bhuat do rìoghachd fhathast?"

"Chan eil," ors esan.

"Ma thà," ors ise, "bheir aona mhac do bhràthar, agus b' ann dhe m' aimhleas crìoch mhurt agus mhillidh agus mharbhaidh a chur air mun rachadh e na bu chruaidhe no na bu làidire na thà e. Agus masa h-e na creutairean a bhiodh a sgath nan daoine air na rathaidean móra, 's ann a tha cuilein dhiubh 'na mhiosan aige a' falbh as a dheaghaidh."

"An dà, cha leig Dia dhomh fhìn," ors an Rìgh, "gun dian mi sin air aona mhac mo bhràthar agus gun a thuar air gin mhìc no nighinn a bhith aige ach e fhéin."

"Mura dian thus' e," ors ise, "nì mis' e." Agus ghabh i mach, 's chuir i fàilt air Mànus.

Bha trì miosain mhìogshuileach dhonna, agus dh' fhalbh an cuilein leóghainn agus thug e glamhamh thall 's a bhos agus chagain e na cìnn aca fear ma seach dhiubh.

"Cuirte mach ugam," ors ise, "fear dhe na conabhairean, agus caitheadh e an cuilein leóghainn a staigh a thaigh nan con far a bheil naoi mìle cú far nach ruig poillte dubhain an làr dheth."

Thàinig am fear sin agus rug e air a' chuilein leóghainn. Choimhead an cuilein leóghainn air, agus nuair a chunnaic e nach e a mhàighistir fhéin a thog e, tharrainn e an crudha fada fìor-ìneach a bh' aige agus bhuail e air a' chonabhair e shuas aig lag a bhràghad agus thug e iall o lag a bhràghad gun deach e mach air ìochdar a chuirp agus leig e am mionach ma chasan.

"Cuirte mach fear eile dhe na conabhairean ugam," ors ise, "agus caitheadh e an cuilein leóghainn a stoigh a thoigh nan con far a bheil naoi mìle cù far nach ruig poillte dubhain an làr dheth."

Thàinig am fear sin a mach agus thog e leis an cuilein leóghainn. Nuair a chunnaic an cuilein leóghainn nach e a mhàighistir fhéin a thog e, rinn e an tomhas ciand air—tharrainn e an crudha fada fìor-ìneach a bh' aige agus bhuail e air e shuas aig lag a bhràghad agus thug e iall o lag a bhràghad gun deach e mach o ìochdar a chuirp agus leig e am mionach ma chasan.

"Cuirte mach ugam," ors ise, "fear eile dhe na conabhairean agus gun cuireadh e an cuilein leóghainn a stoigh a thoigh nan con far a bheil naoi mìle cù far nach ruig poillte dubhain an làr dheth."

Thàinig am fear sin agus thog e leis an cuilein leóghainn, agus nuair a chunnaic an cuilein leóghainn nach e a mhàighistir fhéin a thog e, tharrainn e an crudha fada fìor-ìneach a bh' aige agus bhuail e air

8

e shuas aig lag a bhràghad agus thug e iall o lag a bhràghad gun deach e mach o ìochdar a chuirp agus leig e am mionach ma chasan.

"Falbh," ors ise ri Mànus, "agus caith an cuilein leóghainn a stoigh a thoigh nan con far a bheil naoi mìle cù far nach ruig poillte dubhain an làr dheth, air neo bheir mi fo-near do chrochadh cho àrd 's a thogas cainb thu."

Rug Mànus air a' chuilein leóghainn, agus shad e staigh a thaigh nan con e, agus cha do chuimhnich e air an t-slabhraidh iarainn, a bha ma amhaich, fhuasgladh dheth.

"Falbh a nist," ors ise ri Mànus. "Theirig dhachaidh agus thig a choimhead ormsa bliadhna o an diugh."

Dh' fhalbh Mànus agus ràinig e an t-Seana Bheirbh. Ghabh e dha 'n leabaidh agus thug e mionnan nach robh e dol a dh' éirigh aiste gu bràth tuilleadh.

Nist air làirne mhàireach nuair a chaidh iad a shealltainn a stoigh do thoigh nan con, bha a h-uile cù a bha stoigh marbh, agus am fear nach robh a cheann air a chagnadh, bha a mhionach air a leigeil ma chasan, agus bha an cuilein leóghainn na shìneadh nam miosg.

Bha Clann an Dà Chomhairleach Dhiag anns a' phrìosan o chionn bliadhna, agus a nist chaidh an leigeil a mach (agus chaidh am mionn-achadh nach rachadh iad far an robh Mànus gu ruig an t-Seana Bheirbh) agus 's e a' chiad obair a fhuair iad a dhol a chartadh toigh nan con.

Nuair a chaidh iad a stoigh ann agus a chunnaic iad an cuilein leóghainn na shìneadh a miosg nan con, "An dà," orsa fear dhiubh, "'s ann a bha ceann gun phiseach gun bhuaidh gun sonas air an fhear aig an robh thusa nuair a thugadh bhuaidh sinne. Cha robh an urra chuideachaidh aige ach thusa, agus tha thusa nist ga dhìth."

"Nach neònach an rud a th' ann," orsa fear eile dhiubh, "an cù nach eil a cheann air a chagnadh, tha a mhionach air a leigeil ma chasan, agus chan eil fuil creithleig air a' chuilein e fhéin."

"O," orsa fear eile dhiubh, "chan eil mi smaointean gu bheil e marbh idir. 'S e misg chath tha mi smaointean a ghabh e."

"O Rìgh shaoghail," orsa fear eile, "nach e a dh' éireadh comhla rinne! Agus bhiomaid anns an t-Seana Bhoirbh, sinn fhìn 's e fhéin, fo 'n àm s' an athoidhch."

"Bhitheadh," orsa fear eile, "agus ciod a chaidh ar mionnachadh nuair a leigeadh a mach as a' phrìosan sinn, cha chumadh sin sinn."

Ach bha cunntais aig a' chuilein leóghainn air Clann an Dà Chomh-airleach Dhiag mar a bhiodh e cluinntean aig a mhàighistir nuair a bhiodh e bruidhean orra, agus dh' fhosgail e an t-sùil a bha gu h-àrd aige agus dh' aithnich e gura h-èad a bh' ann, agus dh' éirich e agus chrath e e fhéin.

"Thalla," ors àsan, "tha sinn a nist ceart dheth. Théid sinn agus éibhidh sinn dha 'n Bhannrigh aig an uinneig gu bheil sinn a nist a' falbh agus nach ann gun fhiost a tha sinn a' falbh gu ruig an t-Seana Bhoirbh." Agus dh' fhalbh iad fhéin 's an cuilein leóghainn.

"Gu luath luath," ors a' Bhannrigh, "cuirt' an garbh theaghlach far a bheil naoi mìle fear as deaghaidh Clann an Dà Chomhairleach Dhiag agus marbhadh iad iad far am, faigh iad greim orra!"

" Ma thà," ors an Rìgh, " tha e a dh' achd anns an rìoghachd sa, ma théid duine sam bith a ghnàth mhuinntir an teaglaich rìoghail a mach bharr crìochan a' bhaile an déidh dha 'n ghréin dhol fodha, bidh gorta latha agus seachd bliadhna anns an rìoghchd na dhéidh."
" Ciod a bhiodh gorta saoghal nan saoghal ann," ors ise, " cuirte gu luath air falbh iad." Agus chaidh an garbh theaghlach òrdachadh air falbh, agus ca air bith cà am faigheadh iad greim orra am marbhadh.

Nist bha dorsair a muigh air a' bhaile ris an cante Tùbhalla Hartagain, agus bha e dall agus bha e bodhar, agus dh' fheumadh naoi naodhannan a dhol a dh' éibheach dha mun cluinneadh e smid. Nuair a chual e stoirm a' gharbh theaghlaich a' dol a mach, shaoil leis thaobh an àm a bh' ann gura h-e an garbh nàmhaid a bh' ann a' tighean a stoigh, agus chuir e am bogha ann an laghadh agus an t-saighead anns a' chrois agus thug e trì mìl' asta. Thug Clann an Dà Chomhairleach Dhiag trì mìl' eile asta, agus 's ann air éiginn a thàr an trì mìl' eile am beatha, agus thill iad dhachaidh.

" Coma leat," ors ise, " gad a rinn Mànus siod ormsa, 's ann 'na bhràthair dhomhsa a tha an aona ghaisgeach ma 'n iadh a' ghrian, —'s e sin Conghall mac Rìgh Gréig, agus bheir e ugamsa ceann Mhànuis as an t-Seana Bhoirbh fo 'n am s' an athoidhch."

Ach gu dé ach a chuala Nighean Sgeithein Sgiathalain, màthair Mhànuis, gu robh a leithid seo do sgial air cùl ceann a mic fhéin, agus dh' fhar i long dha 'n t-Seana Bheirbh, agus mun tàinig feasgar làirne mhàireach, cha robh sian a b' fheudalaiche na a chéile a bh' aig Mànus anns an t-Seana Bheirbh agus e fhéin 's a bhean agus Clann an Dà Chomhairleach Dhiag agus an cuilein leóghainn nach robh air an cur air bòrd innte. Agus ma bha gach duine aige air bòrd, bha triúir dhe na philosophers.

Sheòl an long a mach as an t-Seana Bheirbh, agus nuair a ràinig Conghall, cha robh sgial air duine.

Nuair a bha iad lathaichean a' seòladh, dh' iarr Mànus air fear dhe na gillean seall tainn suas dha 'n chrann fiach gu dé a chitheadh e.

Nuair a thill e, " Tha mi faicean," ors e fhéin, " coltas coille mhór romhainn anns a' chuan."

Thuirt Mànus nach robh rathad air coille a bhith ann ach ors e fhéin ri fear dhe na philosophers, " Falbh," ors esan, " seall suas fiach gu dé bha an duine faicean."

Dh' fhalbh am fear sin agus nuair a thill e, " Thà," ors esan, " muir-tiachd an t-saoghail uile gu léir romhainn an a siod, agus na bàtaichean a chaidh innte bho chionn fada, tha an roiginn aca air fàs geal, agus an fheadhainn a chaidh innte bho chionn ghoirid, tha an roiginn aca dubh, agus chan eil saod againn ach bidh sinn innt' an ceartair."

Mun a leig e am facal as a bhial, ghabh an long aca stoigh dha 'n mhuir tiachd, agus cha robh rathad air carachadh as a siod.

Bha iad a' bruidhean 's a' seanchas eatorra fhéin air bórd có aige bha long a sheòladh roimh 'n mhuir tiachd. Bha fios aig pàirt aca gu robh long dhubh aig Balcan Gobha anns an Fhraing 's gun seòladh i romh 'n mhuir tiachd.

Bha an cuilein leóghainn gu bras beadarrach air ais 's air aghaidh air clàr uachdrach na luingeadh. Ach uair dhe na h-uaireannan gheàrr e mach eadar dà chois Mhànuis agus thog e leis e air a dhruim mach air a' mhuir. Thòisich e air snàmh na muir tiachd leis agus nuair a fhuair e mach aiste go muir glan shnàmh e na b' fheàrr, agus chum e roimhe le Mànus gos na chuir e air tìr e ann an eilein, agus leum e fhéin a mach air a' mhuir.

Bha Mànus an a siod gun duine ach e fhéin, agus bha e ag ràdhtha ris fhéin nam biodh an cuilein leóghainn air esan fhàgail comhla ri càch gum b' fheàrr leis bàsachadh anns a' mhuir tiachd na a thoirt a dh' ionnsaigh an eilein.

Ach fada goirid gu robh e ann, chunnaic e an seo a' tighean coltas luingeadh, agus nuair a theann i air, dh' aithnich e nach robh air bòrd innte ach aon duine, agus bha i dianamh dìreach air an eilein. Nuair a dhlúthaich i na bu tinne, gu dé, a laochain, a chitheadh e ach an cuilein leóghainn agus e air bòrd innte.

" O," ors an duine a bha air bòrd 's an luing, 's e ag éibheach do Mhànus, " masa Crìosdaidh thu, 's ann agad a tha an rud ri dhianamh —coltas leóghainn a dh' éirich romh thoiseach mo luingeadh agus cha do dh' fhàg e duine beò dhe 'n sgiobadh agam ach mi fhìn o nach gabhamaid an rathad a thogradh e fhéin, agus tha mi cinnteach gum bi mise marbh an ceartair."

" Chan eagal dhut," orsa Mànus, " ach geall dhomhsa gun toir thu sgiobadh mo luingeadh fhìn as a' mhuir tiachd, agus caisgidh mi dhiot an cuilein leóghainn."

Rinn e sin. Chaidh Mànus air bòrd anns an luing dhuibh, agus sheòl iad dha 'n mhuir tiachd, agus thog iad an sgiobadh dha 'n luing dhuibh comhla riu agus gach nì eile a b' fheudalaiche na chéile bh' anns an luing aig Mànus. Sheòl iad dìreach dha 'n Fhraing.

Nuair a chaidh iad air tìr, ghabh iad suas go toigh a' Ghruagaich Bhàin, mac Rìgh na Fraingeadh. Fhuair iad biadh agus deoch an a sin, agus cha robh e fhéin aig an toigh. Nist bha dà nighinn dhiag aig a' Ghruagach Bhàn, agus cha do dh' fhuiling e riamh fireannach a dh' amharc orra os cionn barraill nam bròg. Theann Clann an Dà Chomhairleach Dhiag ri amharc orra ann an clàr an aodainn, agus dh' innis bean a' Ghruagaich Bhàin dhaibh an cunnartan mura falbh-adh iad mun tigeadh an Gruagach Bàn dhachaidh. Ach 's ann a thug iad an dà mhionnan dhiag nach cairgheadh iad as a siod gos am faigheadh iad an dà nighinn dhiag ri am pòsadh.

" Ma tà," orsa Mànus, " 's iomadh rud a dh' fhuiling sibh péin air mo shon-sa, agus 's suarach an rud dhomhsa gad a dh' fhanainn comhla ribh a dh' fhaicean ciamar a théid dhuibh."

Thàinig an seo an Gruagach Bàn dhachaidh. " 'S beadaidh urruchdanta anabras, a Mhic Rìgh Lochlann," ors esan ri Mànus, " dh' fhan thusa agus Clann an Dà Chomhairleach Dhiag ag amharc air mo dhà nighinn dhiag sa ann an clàr an aodiann agus nach do dh' fhuiling mi do dh' fhear riamh sealltainn orra os cionn barraill nam bròg."

" Ma tà," orsa Mànus, " 's ann a thug iad an dà mhionnan dhiag nach cairgheadh iad as a seo gos am faigheadh iad do dhà nighinn dhiag ri am pòsadh."

" An dà, gheobh iad sin air cùmhnannan," ors an Gruagach Bàn.
" Gu dé na cùmhnannan tha sin ? " orsa Mànus.
" Thà," ors esan, " mis' a chur a staigh air m' athair."
" Agus có tha dol ga dhianamh sin ? " orsa Mànus.
" O thà thusa," ors an Gruagach Bàn, " ma théid thu comhla
rium a dh' amharc air."
" Ma tà," orsa Mànus, " biodh na pòsaidhean air an dianamh."
Agus chaidh an dà phòsadh dhiag a dhianamh.

Dh' fhalbh an Gruagach Bàn agus Mànus an uair sain a choimhead
air Rìgh na Fraingeadh. Nuair a ràinig iad, bha Rìgh na Fraingeadh
ùine mhór gun a mhac fhéin fhaicean ige sin agus chan fhac e Mànus
riamh roimhe. Bha toil aige fàilt a chur orra comhladh, agus shìn
e a làmh dheas dha mhac fhéin agus a làmh thoisgeail do Mhànus.
Leis an tàmailt a ghabh an cuilein leóghainn chionn an làmh thoisgeail
a thoirt dha mhàighistir fhéin, gheàrr e leum go Rìgh na Fraingeadh,
agus spìon e an làmh o 'n ghualainn dheth.

" Ud, ud," orsa Rìgh na Fraingeadh, " tha mi air mo ghortachadh."
" Tha thu air do ghortachadh," orsa Mànus, " ach geall thusa
dhomhsa gura h-e do mhac as oighre dligheach or o bheò agus uile
gu léir or o bhàs, agus cuiridh mise an làmh air do ghualainn a cheart
cho math 's a bha i reimhe."

" Dà, 's mise nì sin," orsa Rìgh na Fraingeadh, " agus 's fhad o
bu mhath lium e thighean anns na ceannaibh ga iarraidh."

" Ma tà," orsa Mànus, " gad a tha an làmh thoisgeail gad dhìth,
tha an làmh dheas agad, agus thoir dha an gealltanas sin ann an
sgrìobhadh."

Rinn Rìgh na Fraingeadh sin : sgrìobh e sìos dha mhac gum b' è
oighre dligheach air a bheò agus uile gu léir air a bhàs. Fhuair Mànus
plàstar do luibhthean do bhàrr na machrach agus leis a sin bhuail
e a làmh air a ghualainn a cheart cho math 's a bha i reimhe.

" Nach eil thu nist a staigh air t' athair ? " orsa Mànus.
" O, thà gu dearbh," ors an Gruagach Bàn.
Dh. fhàg iad slàn aig Rìgh na Fraingeadh, agus thill iad dhachaidh.

Ach air làirne mhàireach, " Och, och," ors an Gruagach Bàn, " 's
mi fhìn tha bochd an diugh."

"Gu dé a th' oirbh ? " orsa Mànus.
" O, thà," ors esan, " chaidh Clann an Dà Chomhairleach Dhiag
a staigh dha 'n ghàrradh-lios ; bha sruthan a' ruith roimhe, agus lean
iad an sruthan go cheann ; bha tobar an a sin agus leac air uachdar,
agus thog iad an leac ; bha trì bric a' cluichd feadh an tobair, agus
aon uair 's gùn a thogadh an leac, sguir na bric a chluichd ; 's ann
ann am broinn nam breac a bha mo bheatha-sa, agus bidh mise marbh
an ceartair."

" Agus gu dé a nist a bheireadh beò air ais thu ? " orsa Mànus.
" Thà," ors an Gruagach Bàn, " beannach nimhe aig Rìgh an
Domhain, agus nam biodh an fhuil air a leigeil as agus mis' ionnlaid
innte o làr go mullach, bhithinn cho math 's a bha mi riamh." Agus
bha an Gruagach Bàn marbh.

Dh' falbh Mànus sìos a choimhead air an luing dhuibh, agus cha
robh bìdeag dhith aige. Dh' fhoighneachd e a Chlann an Dà Chomh-

airleach Dhiag, am fac iad có thug air falbh an long dhubh. Thuirt iad ris gun tug Mac Rìgh an Domhain Mhóir, gun cual e nuair a chuir e an Gruagach Bàn, Mac Rìgh na Fraingeadh, a stoigh air athair agus gun robh esan a muigh air athair riamh, agus gur e sin an reusan a thug dha an long a ghoid air. Bha Mànus agus iad fhéin a' bruidhean air cà faighte long leis am falbhadh e fiach am faigheadh e an long dhubh.

"Thà," orsa Clann a Dà Chomhairleach Dhiag, "long bhreac aig Mac Ridire Dòrnain aig carraig air a' chladach, nam biodh e agad."

Ach bha an cuilein leóghainn gu bras beadarrach air ais 's air aghaidh feadh a' chidhe, agus uair dhe na h-uaireannan leum e mach eadar dà chois Mhànuis agus ghabh e mach air a' mhuir leis. Thòisich e air snàmh. Ràinig e an sin eilein, agus chàirich e Mànus air tìr, agus dh' fhalbh e fhéin.

Fada goirid gu robh e air falbh, chunnaic Mànus long a' nochdadh agus mar nach biodh innte ach aon duine. Nuair a theann i air, dh' aithnich e an cuilein leóghainn air bòrd innte agus i dianamh dìreach air an eilein.

"O," ors am fear a bh' air bòrd na luingeadh, "masa Crìosdaidh thu, 's ann agad tha an rud ri dhianamh—coltas leóghainn a dh' éirich romh thoiseach mo luingeadh, agus cha do dh' fhàg e duine beò dhe 'n sgiobadh agam ach mi fhìn o nach gabhte an rathad a thogradh e fhéin. Caisg dhìom a' bhéist."

"Geall thusa dhomhsa," orsa Mànus, "mo thoirt as a seo, agus caisgidh mi dhìot an cuilein leóghainn."

Rinn e sin. Agus thug e Mànus air bòrd, agud sheòl iad dìreach dha 'n Domhan Mhór.

Nuair a chaidh iad air tìr, ghabh Mànus suas go toigh Mhic Rìgh an Domhain Mhóir. Chuir iad fàilt air a chéile. Dh' fhoighneachd Mànus dheth car son a ghoid e an long dhubh air.

"Chuala mi," ors esan, "gun a chuir thus an Gruagach Bàn, mac Rìgh na Fraingeadh, a stoigh air athair, agus tha mise mach air m' athair riamh ; bha mi air son 's gun cuireadh tu stoigh air mi. "Agus," orsa Mac Rìgh an Domhain Mhóir, "tha beannach nimh aig m' athair agus foghnaidh dha urad pluc frìne do dh' fhuil a thoirt as an ceann a h-uile seachd bliadhna agus òl, agus tha sin a' toirt saoghal sheachd bliadhna dha. Tha seachd seòmbraichean aige do dh' uilebiastan a' geàrd a' bheannach nimhe. Bidh am beannach nimhe beò gu bràth, agus bidh esan beò go saoghal nan saoghal. Ach tha aon each aig m' athair, agus ge b' e a dh' amaiseadh air a shrian fhéin a chur 'na cheann agus a leigeil a dh ionnsaigh an doruis mhóir far a bheil na biastan gan gleidheil, bhristeadh e e."

"Agus có a dh' amaiseas air a sin a dhianamh—a shrian fhéin a chur 'na cheann—mura dian thu fhéin e ?" orsa Mànus.

"O, nì mis' e," ors esan.

Dh' fhalbh iad le chéile. Ràinig iad toigh Rìgh an Domhain Mhóir. Chaidh Mac Rìgh an Domhain Mhóir dha 'n stàbla. Fhuair e an t-srian, agus chuir e ann an ceann an eich i, agus thug e mach e. Leig e dh' ionnsaigh an doruis e, agus bhrist e roimhe.

Stoigh a ghabh an cuilein leóghainn, agus thug e latha anns gach

13

seòmbar, agus cha do dh' fhàg e creutair beò. Ann an ceann na seachdain, bha e fhéin 's am beannach nimhe a' gleac air a' chnoc. Thuit a seo an cuilein leóghainn marbh.

Bha am beannach nimhe a' coiseachd a null 's a nall air a mhuin, 's e ag iarraidh tuilleadh beothantachd as. Ach uair dhe na h-uair-eannan, chunnaic an cuilein leóghainn a chothrom fhéin air a' bheann-ach nimhe, agus tharrainn e an crudha fada fìor ìneach a bh' aige air, agus bhuail e e shuas aig an sgòrnan, agus thug e iall as a sin go an deach e mach air ìochdar a chuirp, agus leig e a mhionach feadh a' chnoic.

Thòisich am beannach nimhe air sgriachail a muigh agus theann Rìgh an Domhain Mhóir ri rànaich a stoigh. Agus bha iad marbh.

Fhuair Mànus saithichean, agus anns an spot uarach chéireadh suas a h-uile boinne faladh bh' anns a' bheannach nimhe.

" Nach eil thu nist ? " orsa Mànus ri Mac Rìgh an Domhain Mhóir, " a stoigh air t' athair."

" O, thà," ors esan, " chan eil fhios có chumas a mach air mi tuilleadh. Tha esan marbh nuair a chailleadh am beannach nimhe."

" Nach téid thusa nist," orsa Mànus, " gam chur-sa stoigh air Lochlann ? "

" O, théid gu dearbh," orsa Mac Rìgh an Domhain Mhóir.

Dh' fhalbh iad—Mànus agus Mac Rìgh an Domhain Mhóir 's a chuid sluaigh, agus sheòl iad dha 'n Fhraing a dh' iarraidh an fheadh-ainn a dh' fhàgadh ann. Fhuair iad an Gruagach Bàn, agus chaidh ionnlaid o làr go mullach le fuil a' bheannach nimhe ; agus bha e beò air ais.

" Nach téid thusa nist," orsa Mànus ris a' Ghruagach Bhàn, " gam chur-sa stoigh air Lochlann ? "

" O, théid gu dearbh," ors an Gruagach Bàn.

Bha Mànus a' dol mun cuairt an a sin, agus chaidh e stoigh dha 'n cheàrdaich aig Balcan Gobha. Gu dé an obair a bh' aig Balcan Gobha aig an àm ach a' tathbheothachadh nan daoine a mharbh an cuilein leóghainn air anns an luing dhuibh. Bha ballan nimhe agus ballan tathbheothaiche aige anns a' cheàrdaich. Dh' fhoighneachd Mànus dheth gu dé an aon bhuaidh a bhiodh air duine sam bith a ghearradh leum a stoigh dha 'n bhallan ud agus a ghearradh leum as.

" O," ors an gobha, " nan leumadh tu stoigh dha 'n bhallan sin, thuiteadh tu nad rúdanan ruadha air a' ghrunnd aige."

Thàinig an éibh air na goibhnean gan iarraidh go an dìnneir, agus dh' fhalbh iad.

Dh' fhalbh Mànus agus chuir e dheth a h-uile snuim aodaich a bh' ime, agus leum e dha 'n bhallan, agus thuit e 'na rúdanan ruadha air a' ghrunnd aige.

Bha an cuilein leóghainn 'na sheasamh air bial a' bhallain agus e coimhead sìos ann, agus bha e tuigsean math gu leòr, nan rachadh e fhéin sìos ann, gun éireadh a leithid eile dha 's a dh' éirich do Mhànus. Ach thàinig an seo an gobha a mach o a dhìnneir, agus ghabh an cuilein leóghainn ige, agus rug e air 'na bhial air aodach, agus bhuail e stràc dheth ris an innein, agus nuair a dh' éirich e, rug an cuilein leóghainn air agus bhuail e go taobh thall na ceàrdaich e, agus chaidh

14

an éibh a mach go bean Mhànuis gu robh an gobha air thuar a bhith air a mharbhadh aig a' chuilein leóghainn.

Thàinig bean Mhànuis a stoigh : " An dà," ors ise, " tha mise 'g aithneachadh ciamar a tha cúisean—tha Mànus 'na rúdanan ruadha air ùrlar a' bhallain ; ach geall thusa dhomhsa," ors ise ris a' ghobha, " gun tathbheothaich thu dhomhsa Mànus, agus caisgidh mi dhìot an cuilein leóghainn."

" O, 's mise nì sin," ors an gobha, " ach caisg dhìom a' bhéist gu h-athlamh."

Chaisg i dheth e. Agus thaom an gobha am ballan nimhe, agus chruinnich e a h-uile rúdan ruadh do Mhànus, agus thug e seachd latha na seachdain air a shéideadh an as teallach agus seachd latha na seachdain air a bhualadh air an innein, agus ann an ceann a' choladiag bha e deas aige.

" Dian a nist," orsa Mànus, " dhomhsa claidheamh."

Thòisich an gobha ris a' chlaidheamh. Thug e seachd latha na seachdain air a shéideadh an as teallach agus seachd latha na seachdain air a bhualadh air an innein, agus ann an ceann a' choladiag bha e ullamh aige.

" Nist," ors an gobha, " bheir mise mo mhionnan do Dhia, agus bheir Dia na mionnan as fheàrr,—an damaiste a fhuair mise riut fhéin agus ri d' chlaidheamh nach fhaigh mi ri sian eile no ri a leithid go bràth tuilleadh."

" Chan fhaod e bhith," orsa Mànus, " nach eil buaidh air choreigin orm fhìn agus air mo chlaidheamh.

" Thà," ors an gobha, " cha bhàth muir thu, agus cha loisg tein' thu, agus cha gheàrr faobhar thu, agus chan fhàg do chlaidheamh fhéin fuidheal beuma an aon àite go bràth anns am buail thu e. Agus cha 'reid mi nach eil deagh dhòigh agad air tighean romh 'n t-saoghal a nist."

Dh' fhalbh Mànus agus dh' fhuasgail e an t-slabhraidh a bha ma amhach a' chuilein leóghainn, agus chaith e an cuilein leóghainn dha 'n bhall an nimhe, agus thuit e 'na rúdanan ruadha air a' ghrunnd aige.

" Siuthad," ors esan ris a' ghobha, " tathbheothaich dhomhs' an cuilein leóghainn."

" O, na mionnan a thug mise do Dhia," ors an gobha, " cha téid mi gam bristeadh."

" O, 's fheàrr an t-ath fhacal," orsa Mànus.

" Chan fheàrr no an treas facal," ors an gobha.

" Ma tà," orsa Mànus, " ma tha mo chlaidheamh-sa cho math 's a tha thusa 'g ràdhtean, 's tus' a' chiad bheum a bhios aige."

" O, forsadh or o làimh," ors an gobha. " Gad 's e sin an rud as cruaidhe liumsa a rinn mi riamh, 's fheudar dhomh ga dhianamh."

Thaom e am ballan nimhe, agus chruinnich e a h-uile rùdan ruadh dhe 'n chuilein leóghainn. Thug e seachd latha na seachdain air a shéideadh an as teallach agus seachd latha na seachdain ga bhualadh air an innein, agus ann an ceann a' choladiag bha e ullamh aige.

" Nachd téid thusa nist," orsa Mànus ris a' ghobha, " gam chur-sa stoigh air Lochlann ? "

15

" O, théid gu dearbh," ors an gobha.

Fhuair iad air dòigh uile gu léir—Mac Rìgh an Domhain Mhóir agus a chuid sluaigh, an Gruagach Bàn, Mac Rìgh na Fraingeadh, agus a chuid sluaigh, Balcan Gobha agus a chuid daoine fhéin aige, agus Clann an Dà Chomhairleach Dhiag. Agus chuir iad an aghaidh air Lochlann.

Nuair a ràinig iad, a' chiad latha a thug iad ìnnte, ghlacadh a' Bhannrigh agus thugadh as a chéil' i 'na ceithir cheathrannan eadar ceithir eich, agus loisgeadh ann an teine mór i, agus leigeadh a luath leis a' ghaoith.

Chaidh Mànus a chrúnadh 'na rìgh air Lochlann, agus thug e porsan do bhràthair athar a chumadh go bràth e. Agus bha Fear an Earraidh Dheirg 'na fhear thasgaidh arm aige mar a bha e aig athair 's aig a sheanair 's aig a shinnseanair roimhe.

Ach an seo, latha dhe na lathaichean, cha robh sgial air a' chuilein leóghainn. Thòisich Mànus ri siubhal ga iarraidh, ach chan fhaigheadh e thall no bhos e. Thachair boireannach air cho briagha 's a chunnaic e riamh.

Dh' fhoighneachd i dheth : " Gu dé tha thu 'g iarraidh ? "

" Tha mi 'g iarraidh," ors esan, " cuilein leóghainn a bh' agam, a thug as a h-uile cruadal no gàbhadh anns an robh mi riamh mi, agus tha e air fairleachdainn orm fhaotainn."

" Ma tà," ors ise ris, " chan fhaigh thu go bràth e."

" Nach fhaigh ? " orsa Mànus.

" O, chan fhaigh," ors ise, " a chionn 's mis' a bh' an a sin ann an riochd a' chuilein leóghainn agus mi fo gheasaibh, agus bhithinn fo na geasaibh go bràth gos an dianainn a h-uile sian a bh' an a siod comhla riu'sa. Agus mura b' e gu bheil thusa pòsda reimhe, cha bhiodh do mhnaoi phòsda no dhìolain agad go bràth ach mise. Agus 's mise Bhiongal Bhungal, nighean Rìgh nam Fear Fionn. Agus cuiridh tu nist dhachaidh go m' athair mi."

" O, cuiridh gu dearbh," orsa Mànus.

Chuir e bàta leatha dhachaidh go h-athair. 'S bha e fhéin a nist 'na rìgh air Lochlann. Agus dhealaich mise riu.

16

SGIALACHD FEAR NA H-EABAID

An cuala sibh an latha bu mhath do Mhurchadh mac Brian agus
do Dhunnchadh mac Brian agus do Hig Sionna mac Brian agus Brian
Borghaidh mac Cionadaidh agus Cionadaidh fhéin cuide riutha a
bhith air taobh Beinn Gulbann ann an Eirinn a' sealg?
Dh' fhalbh am mòr shluagh dha 'n bheinn sheilg a dhianamh na
seilgeadh, agus dh' fhan Murchadh mac Brian air an tom shealg.
Agus gu dé a chunnaic e dol seachad air ach fiadh agus cabar òir agus
cabar airgid air agus gadhar cluas-dearg bàn a' tathann gu geur as
deaghaidh an fhéidh. Agus ghabh e a leithid a thlachd dhe 'n fhiadh
's dhe 'n ghadhar agus gur ann a dh' fhalbh e as an deaghaidh air son
breith orra. Agus o Shrath na h-Eadrabhaigh go Abhainn na
h-Eadrabhaigh gheàrr am fiadh leum agus gheàrr an gadhar leum
agus ghearr Murchadh mac Brian an treas leum agus cha robh ann
an Êirinn gu léir na ghearradh nan deaghaidh. Agus thàinig meall
ceò man cuairt air, agus cha robh fios aige có an taobh as no as tàinig
am fiadh no an gadhar.
Ach chual e buille tuaigheadh shuas os a chionn, agus thuirt e ris
fhéin nach robh buille tuagheadh riamh gun fear ga bualadh air a
cùl. Agus ghabh e suas ma thuaiream an àit anns na dh' fhairich e a'
bhuille. Agus bha an a shin fear eabaide duibheadh, luirge ceàrnaich,
phaidrean chnàmh agus phaidrean unga, agus e gadadh cual chonnaidh.
Bheannaich Murchadh mac Brian dhà ann am briathraibh mìne,
ann am mìne maighdeann, ann an teagaisg seanchais. Agus fhreagair
Fear na h-Eabaid è anns na briathran cianda—mura h-èad a b' fheàrr,
chan èad a bu mhiosa—có an duin' è, no có as a tàinig e, no càit am
bu ghnàth leis a bhith, no càit a bha e air a ruighean?
"Chan eil," orsa Murchadh mac Brian, "ach fear a ghaisgeich
Mhurchaidh mhic Brian."
"Có fear thus'," ors am fear eile, "a ghaisgeich Mhurchaidh mhic
Brian, agus gun ghaisgeach ris an t-saoghal aig an duine sin nach eil
ainm air leith agams' air?"
"O, chan eil," ors e fhéin, "ach fear a ghaisgeich Mhurchaidh
mhic Brian."
Ach dh' fhalbh Fear na h-Eabaid a seo agus thug e mach ròp a
bile na h-eabaid agus sgaoil e naoi-fillt air a' mhòintich e.
"A ghaisgeich chòir," ors esan ri Murchadh mac Brian, "na glac
droch mhios orms'," ors esan, "air son a dhol a ghiùlain an eallaich
a tha mi dol a dhianamh an a seo, a chionn gum b' fhurasda dhomh
fear agus fear agus té agus té fhaotainn a thigeadh ga iarraidh, ach
cha tugadh a h-aon dhiubh leotha ann an aon eallach na chumadh
teine ri Gleann Eillt latha agus bliadhna mura nì mis' e."

17

Agus thòisich e air dianamh an eallaich. Agus ciod a bha Murchadh mac Brian na ghaisgeach, 's ann a bha e gabhail oillt nuair a chunnaic e mìodachd an eallaich a bha an duine a' dianamh.

Nuair à bha an t-eallach ullamh a seo aige, " Teann a nall," ors e fhéin ri Murchadh mac Brian, " agus tog an t-eallach seo air mo mhuin."

Theann Murchadh mac Brian a null agus chuir e a dha làimh fo 'n eallach agus cha tugadh e gaoth bho làr dha.

" Car son," orsa Fear na h-Eabaid, " nach eil thu togail an eallaich ? "

" O, tha reusan gu leòr agam air," orsa Murchadh mac Brian. " Chan fhaca mi duine riamh a bhite fiachainn ri eallach a thogail dha nach toireadh e fhéin seachad a bheag no a mhór do chuideachadh ma thimcheall ach thusa."

" A ghaisgeich chòir," orsa Fear na h-Eabaid, " nach math a thigeadh dhut droch rud a dhianamh agus nach math a ghabhadh tu fhein do leithsgeul ! "—agus e a' toirt an siabadh ud dha 'n eallach air a ghualainn, agus cha do bhuail an t-eallach air Murchadh mac Brian idir anns an dol seachad, ach leis a' ghaoith a dh' fhalbh bhuaidhe shrad e Murchadh mac Brian fodha go a dha ghlúin ann an talamh cruaidh creathadh an taobh thall dheth. Agus ghreas e air éirigh mum faiceadh Fear na h-Eabaid e.

" A ghaisgeich chòir," orsa Fear na h-Eabaid ri Murchadh mac Brian, " cum a nist cainnt agus coiseachd rium."

" An dà, tha sin gu furasda dhomh," ors Murchadh mac Brian. " Tha mise gu faonra falamh agus tha thus' agus t' eallach or o mhuin."

Nist nuair a rachadh Murchadh mac Brian na ruith agus na theann-ruith, bheireadh e air a' ghaoth luath Mhàrt a bha roimhe agus cha bheireadh a' ghaoth luath Mhàrt a bha na dheaghaidh air, agus cha teothadh e faisg no fàireadh air Fear na h-Eabaid. Agus ma dheireadh rug Murchadh mac Brian air an dà choileach dhubh a bha falbh air iteig roimhe anns na speuran.

" Car son ? " orsa Fear na h-Eabaid, " nach eil thu cumail cainnt agus coiseachd rium ? "

" An dà," orsa Murchadh mac Brian, " tha mi an déis breith air an da choileach dhubh a bha falbh air iteig anns na speuran ciod nach eil mi cumail cainnt no coiseachd riu'sa."

" An dà, 's diocair fhios dhomh," orsa Fear na h-Eabaid, " nach ann a fhuair thu marbh iad."

" An dà," orsa Murchadh mac Brian, " tha an comharra fhéin nan cois fhathast—tha am fuil blàth nan com."

" A ghaisgeich chòir," orsa Fear na h-Eabaid, " nach math a thigheadh dhut droch rud a dhianamh agus nach math a ghabhadh tu fhéin do leithsgeul ! "

Agus nuair a ràinig iad a seothach Gleann Eillt, shrad am fear mór dheth an t-eallach, agus bha Murchadh mac Brian a' smaointean gum bu cho fasa leis a' chlach a b' ìsle bh' ann an dorus na cathrach fhaicean air chrith ris a' chloich a b' àirde bh' ann leis a' chrith agus leis an fhuaim a thog an t-àit uile gu léir nuair a chaith Fear na h-Eabaid dheth an t-eallach. Agus bha an dorus cho farsainn agus gun deach iad a stoigh air guala ri gualainn.

Agus ghabh iad sìos do sheòmbar, agus bha bòrd an a sin air a chuibhrigeadh, agus shuidh Fear na h-Eabaid air an darna taobh dheth ann an cathair amalaidh òir, agus bha cathair airgid air an taobh eile, agus smaointich Murchadh mac Brian aige fhéin nach robh àit a bu cholaiche dha suidhe na innte, agus shuidh e anns a' chathair airgid.

Bhuail Fear na h-Eabaid a seo glag, agus thàinig fear garbh dubh a nuas agus còrn dibheadh aige.

"Thoir deoch dha 'n aoigh," orsa Fear na h-Eabaid ris.

"O, cha toir, " ors am fear sin, " ach bheir mi dhuibhs' i."

"Ud," orsa Fear na h-Eabaid, "nach toir thu dha fhéin an dràsd i? "

"An dà, cha toir," ors am fear sin.

"Agus co thuig," orsa Fear na h-Eabaid, " nach toir thu dhà i? "

"An dà," ors am fear a bh' an a sin, " tha reusan gu leòr agam air—chan e dheoch a tha nam làimh, chan e thoigh a th' as mo chionn, chan e aodach tha mam dhruim, chan e bhiadh tha nam bhroinn agus on as lea's' a chuile cuid dhiubh sin, 's tu a gheobh an deoch."

"Ud, ma tà," orsa Fear na h-Eabaid, " nach toir thu dha air mo shon fhìn i? "

"An dà, mura h-ann," orsa esan, " chan eil fhios có air son eile." Agus shìn e an còrn dibheadh do Mhurchadh mac Brian.

Agus chaidh Murchadh mac Brian, nuair a rug e air, na dheagh fhaireachadh agus cha tug e as ach a leith agus chàirich e null air bialaibh Fear na h-Eabaid e.

Agus dh' fhalbh Fear na h-Eabaid agus fhuair e arm sgocharra sgeineadh a ghearradh am fanail air uachdar an uisg' an oidhch' a bu dorch' a thigeadh anns a' bhliadhna, agus na bha falamh dhe 'n chòrn gheàrr e dheth e.

"A ghaisgeich chòir," ors esan an uair sain ri Murchadh mac Brian, "na glac droch mhios orms' air son siod a dhianamh agus gura geasaibh dhe m' gheasaibh-s' o m' mhuim' altramais nach cuir mi saitheach leith fhalamh as cionn mo bheòil go bràth agus gun cuir mise siod dhu'sa air a' chòrn air chor agus nach saoil thusa no neach eile gun deach a ghearradh riamh."

Agus nuair a dh' òl e an deoch, rug e air a' phìos a gheàrr e dheth agus chàirich e air a' chòrn e, agus cha robh duin' air an t-saoghal a shaoileadh no a dh' aithnigheadh gun deach a ghearradh riamh.

Ach gu dé a chitheadh Murchadh mac Brian ach am fiadh 's an gadhar a bha e fhéin a' ruith ceangailt' air lomhannaibh ann an taobh an t-seòmbair.

Ach thàinig banail ban a nuas a chur bithidh a dh' ionnsaigh a' bhùird air am bialaibh. Agus na bh' aig a' ghréin air a ghealaich, aig na reult air na rionnagan, mar ghual air a bhàthadh ann an ceàrdach gobhann, bha aogasg mnathan an domhain gu léir maille rithe aig a h-àilleachd.

Agus theann Murchadh mac Brian ri dùr-bheachdnachadh oirre, agus thug Fear na h-Eabaid an aire dha.

19

" Gu dé," orsa Fear na h-Eabaid ri Murchadh mac Brian, " do
dhùr-bheachdnachadh air a' mhnaoi bheuldearg ud aig a' bhòrd? "

" An dà, chan eil," orsa Murchadh mac Brian, " ach gura nàr
dhomh mura h-aithnich mi i far am faic mi a rithist i."

" A ghaisgeich chòir," orsa Fear na h-Eabaid, " nach math a
thigeadh dhut droch rud a dhianamh agus nach math a ghabhadh
tu fhéin do leithsgeul! Ach a Mhurchaidh mhic Brian, ciod a tha
am biadh air a' bhòrd, nan éisdeadh tu ri m' sgialachd, 's ann ma
'n bhoireannach ud a siod agus ma 'n fhiadh agus ma 'n ghadhar ud
thall a fhuair mis' an damaiste nach d' fhuair duine dhe na daoine
riamh romham agus tha mi an dòchas nach fhaigh nam dheaghaidh.

Bha mis' a bhliadhna na taca sa far am fac thus' an diugh mi a'
gadadh na cual chonnaidh. Agus thàinig Gruagach an Fhéidh agus
a' Ghadhair ud thall far an robh mi, agus gruagach eil' a' tighean
as a deaghaidh.

' Air ghaol Dia dhut,' ors i fhéin, ' tionachd m' anam dhomh agus
is leat m' fhiadh agus mo ghadhar.'

Ghabh mi fhìn a leithid a thlachd," ors e fhéin, " dhe 'n fhiadh
agus dhe 'n ghadhar agus gur ann a dh' fhalbh mi ann an coinneamh
na gruagaich a bha tighean. Agus bha naoi goisneinean ruadha fuilt
a mach a mullach a cinn agus bu lìonmhoir gas anns gach gas dhiubh
sin na air gamhnaich air latha Céitein ri taobh cnoic. Agus thuaint
mi na naoi goisneinean ruadha fuilt mam dhòrn agus thug mi an ceann
as an amhaich agus an amhach as na riamhaichean agus an goisnein
bu mhiosa dhe na naoi goisneinean ruadha fuilt cha do bhrist.

Ach cha b' fhada gos an tàinig an ath ghruagach.

' Air ghaol Dia dhut,' orsa Gruagach an Fhéidh 's a' Ghadhair rium,
' tionachd m' anam dhomh agus is leat m' fhiadh agus mo ghadhar.'

' 'S liomsa t' fhiadh agus do ghadhar mar a thà,' orsa mise, ' tha
mi air an cosnadh.'

Ach thuirt mi rium fhìn, ma bhà fhéin, gum bu cheacharra dhomh
leigeil a marbhadh air an turus seo an déis a sàbhaladh reimhe, agus
dh' fhalbh mi agus ghabh mi an coinneamh na gruagaich a bha tighean.
Ach, a Mhurchaidh mhic Brian, cha robh agam," ors esan, " air an
ceann thoirt aiste seo ach mar gun spìonadh tu tom chuiseaga ruadha
bhiodh air achadh foghmhair ri taobh cnoic.

Ach cha b' fhada gos an tàinig an treas gruagach. Agus cha do
dh' iarr mi fhìn air an turus seo brosnachadh sam bith gos a dhol an
coinneamh na gruagaich seo. Agus ghabh mi na coinneamh.

' O, air ghaol Dia dhut,' orsa Gruagach an Fhéidh 's a' Ghadhair,
' leig leis a' ghruagaich sin agus gur ann a th' ann a mo dhearbh
bhràthair.'

' An dà, gu dearbh fhéin,' orsa mi fhìn, ' 's olc an gnìomh bràthar
a tha e dianamh riut.'

' An dà,' ors ise, ' 's ann a thàinig sinne far an robh thusa air son
ceart, agus cha ghabhamaid ceart ach ceart fear eabaide duibheadh,
luirge ceàrnaich, phaidrean chnàmh agus phaidrean unga mar a tha
thusa.'

' Agus gu dé,' orsa mi fhìn, ' a bha tighean eadaraibh? '

'An dà,' ors ise, 'tha fearann agamsa a bh' aig m' athair agus aig mo sheanair agus aig mo shinn-seanair romham. Agus tha fearann gu leòr aigesan e fhéin a thug e mach le a làimh mhóir làidir fhéin. Agus 's ann a tha e am beachd a nist gun toir e bhuamsa am fearann sin a bha dligheach dhomh 's a bh' aig m' athair 's aig mo sheanair 's aig no shinn-seanair romham.'

'Ma tà,' orsa mise, ' 's e an ceart a dhianainn-se dhuibh—gabhadh esan leis na bheil aige do dh' fhearann an dràsd, agus ma thachras e ris gun caill e uair sam bith e le fòirneart, leigidh tusa ga ionnsaigh an uair sain an darna leith agus na th' agad fhéin.'

O, bha seo glé mhath leotha taobh air thaobh. 'Ach feumaidh tusa falbh agus sin fhaicean diante comhla rium,' orsa Gruagach an Fhéidh 's a' Ghadhair.

Dh' fhalbh sinn, agus nuair a ràinig sinn am muir, thug sinn a mach ar cuid ceannbhartan uisge. Agus cha robh sinn fad sam bith a' seòladh nuair a thachair am Machaire Mìn Sgàthach oirnn.

Nuair a chaidh sinn air tìr, chan fhaiceadh tu ach duine dha chois agus duin' air muin eich a' tighean nar coinneamh agus an ceannaodach go làr. Dh. fhoighneachd mi do Ghruagach an Fhéidh 's a' Ghadhair gu dé na bha a shluagh a' tighean nar coinneamh an a siod a' ciall-achadh.

'Dian thus' or o shocair,' ors ise, 'agus innsidh mise sin dhut.'

'Thà,' orsa mi fhìn, 'cabhag ormsa, agus dùil am tilleadh dhach-aidh a nochd fhathast.'

'Tha an a shiod,' orsa Gruagach an Fhéidh 's a' Ghadhair, 'aon nighean agamsa, agus tha a chuile fear a tha thu faicean an a siod a' dol a mharbhadh a chéile air a sàilibh, agus am fear bhios beò dhiubh, bidh i aige.'

'An dà, gu dearbh fhéin,' orsa mi fhìn, 'dhianainn fhìn ceart a b' fheàrr na sin dhaibh nan gabhadh iad bhuam e.'

'Dé an ceart a tha sin?' ors a chuile fear riamh dhiubh.

'Thà,' orsa mise, 'a dhol a ruith, agus am fear bu luaithe ann an ruith, am boireannach a bhith aige, agus cha rachadh beatha duine sam bith a dhìth ri a linn.'

Bha seo fuathasach math leis a chuile duine riamh, agus dh' aontaich iad sin a dhianamh. Agus chaidh iad a ruith. Ach ma chaidh, chaidh mi fhìn comhla riutha agus bha mi air ais mun robh càch leitheach rothaid. Agus ghléidh mi am boireannach.

Chaidh sinn dhachaidh an oidhche sin dha 'n Tiobard,'' orsa Fear na h-Eabaid. Agus có a bh' an a seothach ann an Gruagach an Fhéidh 's a' Ghadhair ach Gruagach na Tiobard, agus i an déis tighean gam iarraidh fhìn le car ; agus bha mi a nist dìreach ac' anns an Tiobard.

Nuair a chaidh mi dhachaidh an oidhche sin 's a chaidh am biadh air a' bhòrd, chualas bualadh ann as dorus, agus cha robh an ath bhualadh ann,'' ors e fhéin, '' nuair a bha a' chomhla air a cur a stoigh na bìdeagan a dh' ionnsaigh an ùrlair. Agus thugadh am boireannach ud a siod a mach o m' ghualainn fhìn.

'Tha thu nist a muigh,' ors am fear a thug a mach i, 'agus chan eil e fo cheithir ranna ruadha an t-saoghail a h-aon gad chur a stoigh

21

o nach tigeadh am feamanach mór fàbhsach—fear gun time gun taise gun tròcaire gun ghaol Dé gun eagal duine, agus ciod a thigeadh am fear sin fhéin, bhiodh e glé mhór is gum faigheadh e thus' a nochd.'

'O,' orsa Gruagach na Tiobard, 'càit a bheil fear an ainme ri fhaotainn fo dhruim an taighe? Agus gu dearbh fhéin, ma tha e ann, 's e adhbhar cleamhn' a b' fheàrr liom fhìn a bhith agam na fear nach biodh fios am cà rachainn ga tòrachd air.'

Ghabh mi fhìn a' chùis gam ionnsaigh fhìn," orsa Fear na h-Eabaid, " agus dh' éirich mi agus dheasaich mi m' eabaid dhubh as cionn ploc mo mhàis agus mo lorg cheàrnach nam làimh, mo phaidrean unga mam amhaich 's mo phaidrean chnàmh as cionn mo mhaladh, agus ghabh mi air falbh. Agus nuair a dhlùthaich mi ris an fhear a thug leis am boireannach, dh' éibh mi dhà, Có nighean na tréine 's na tréidh ruaidheadh a bha seo?

' 'S tusa sin,' ors esan gam fhreagairt, ' fear an t-saoghail ghoirid dhiombuain.'

' Cuir thusa bhuat an ribhinn,' orsa mi fhìn, ' air neo gheobh thu comhrag gu leòr air a ceann.'

' O, gheobh thu comhrag gu leòr air a ceann,' ors e fhéin, ' ach chan fhaigh thu an ribhinn a nochd.'

Agus sheòl e an t-sleagh a bh' aig' orm, agus chaidh i na ruadh lasaig anns na speuran an taobh thall dhiom. Ach dh' fhalbh mise," ors esan, ' agus sheòl mi mo shleagh fhìn airsan, agus bhuail mi ann an àird a chléibh e, agus thuit e. Ghreas mi ga ionnsaigh, agus mharbh mi e. Agus thug mi liom am boireannach air ais dhachaidh dha 'n Tiobard ; agus ma bha biadh no deoch aca ri ghabhail, bha iad air an gabhail mun do ràini' mise.

Ach an ath oidhche, a Mhurchaidh mhic Brian," ors e fhéin, " nuair a bha am biadh air a' bhòrd, chualas am bualadh ann as dorus, agus cha robh an ath bhualadh ann nuair a bha a' chomhl' air a cur a stoigh na bìdeagan a dh' ionnsaigh an ùrlair, agus thugadh am boireannach ud a siod a mach o m' ghualainn fhìn.

' Tha thu nist a muigh,' ors am fear a thug a mach i, ' agus chan eil e fo cheithir ranna ruadha an t-saoghail a h-aon gad chur a stoigh o nach tigeadh am feamanach mór fàbhsach—fear gun time gun taise gun tròcaire gun ghaol Dé gun eagal duine ; agus ciod a thigeadh am fear sin fhéin, bhiodh e mór is gum faigheadh e thus' a nochd.'

' O,' orsa Gruagach na Tiobard a' freagairt, ' càit a bheil fear. an ainme fo dhruim an taighe? Agus dearbh fhéin, ma tha e ann, 's e adhbhar cleamhn' a b' fheàrr liom fhìn a bhith agam na fear nach biodh fhios am cà rachainn ga tòrachd air.'

Dh' aithnich mi fhìn gur e mi fhìn a bha i 'g iarraidh ; agus bha mi gu math deiseil a nochd, agus thuirt mi rium fhìn nach leiginn am fear a thug leis am boireannach cho fad o 'n toigh a nochd, agus ghabh mi air falbh as a dheaghaidh. Nuair a theann mi orra, dh' fhoighneachd mi, Có nighean na tréine 's tréidh ruaidheadh a bha seo?

' 'S tusa sin,' ors esan, ' fear an t-saoghail ghoirid dhiombuain.'

' Cuir thusa bhuat an ribhinn,' orsa mi fhìn, ' air neo gheobh thu comhrag air a ceann.'

'Gheobh thu comhrag gu leòr air a ceann,' ors esan, 'ach chan fhaigh thu an ribhinn a nochd.'

Sheòl e an t-sleagh a bh' aig' orm," ors esan, " agus chaidh i na ruadh lasaig anns na speuran an taobh thall dhiom. Sheòl mise mo shleagh fhìn airsan agus bhuail mi ann an àird a chléibh e agus leag mi e. Ghreas mi ige agus mharbh mi e. Thug mi liom an nighean dhachaidh an oidhche sin a rithist. Ma bha biadh agus deoch aca ri ghabhail anns an Tiobard, bha iad air an gabhail mun do ràini' mise.

Ach, a Mhurchaidh mhic Brian, an treas oidhche nuair a bha am biadh air a' bhòrd, thàinig am bualadh cianda dha 'n dorus ; agus cha robh an ath bhualadh ann nuair a bha a' chomhla air a cur a stoigh na bìdeagan air an ùrlar, agus thugadh am boireannach ud a siod a mach o m' ghualainn fhìn.

' Tha thu nist a muigh,' ors am fear a thug a mach i, ' agus chan eil e fo cheithir ranna ruadha an t-saoghail a h-aon gad chur a stoigh o nach tigeadh am feamanach mór fàbhsach—fear gun time gun taise gun tròcaire gu ghaol Dé gun eagal duine ; agus ciod a thigeadh am fear sin fhéin, bu ghann gum faigheadh e thus' a nochd.'

' O,' orsa Gruagach na Tiobard, ' càit a bheil fear an ainme fo dhruim an taighe ? Agus gu dearbhte, 's e adhbhar cleamhn' a b' fhearr liom fhìn a bhith agam na fear nach biodh fios ca rachainn ga tòrachd air.'

Dh' fhairich mi gur ann ugam a bha an gnothach co dhiubh ; agus dheasaich mi m' eabaid dhubh as cionn ploc mo mhàis, mo lorg cheàrnach nam làimh, mo phaidrean unga ma m' amhaich mo phaidrean chnàmh as cionn mo mhaladh, agus ghabh mi air falbh as a dheaghaidh. Dh' fhoighneachd mi, Có nighean na tréine 's na tréidh ruaidheadh a bha seo ?

' 'S tusa sin,' ors esan, ' fear an t-saoghail ghoirid dhiombuain.'

' Cuir thusa bhuat an ribhinn,' orsa mise, ' air neo gheobh thu comhrag air a ceann.'

' O, gheobh thu comhrag gu leòr air a ceann,' ors e fhéin, ' ach chan fhaigh thu an ribhinn a nochd.'

Sheòl e an t-sleagh a bh' aig' orm, agus bhuail e mi anns a' phaidrean unga bh' as cionn mo mhaladh, agus thuit mi air mo ghlùin. Greas mi air éirigh, agus sheòl mi mo shleagh fhìn airsan. Bhuail mi ann an àird a chléibh e, agus leag mi e. Ghreas mi ga ionnsaigh, agus mharbh mi e. Agus thug mi am boireannach liom dhachaidh.

Ach thuirt mi rium fhìn, cho math 's gun robh an Tiobard, gum foghnadh siod dhomhsa dhith ; agus dh' fhalbh mi fhìn agus an nighean agus Gruagach an Fhéidh 's a' Ghadhair comhla rium dhachaidh go m' aite fhìn.

Chaidh mo chur a chadal an oidhche sin ann an sobhal fada fàs. Agus thàinig guth chon na h-uinneig a dh' éibheach dhomh gun robh trì latha seilgeadh agus sìdhneadh agam ri dhianamh mum faighinn banais no pòsadh fhathast.

' Tha sin ann,' orsa mi fhìn, ' agus nam biodh an còrr ann, cha rachadh tus' a dh' inns' an ath sgeul.'

'Cha bu lughaide do chuid-sa a gheasachd an eilein sin,' ors esan, 'mura cuirinn-sa na geasaibh ud ortsa, chuireadh fear eile ort iad.'

Ach dh' éirich mi fhìn," orsa Fear na h-Eabaid, " gu math moch làirne mhàireach agus dh' fhalbh mi dha 'n bheinn sheilg. Rinn mi an t-sealg mhór éibhinn fhiantach sin nach do rinneadh riamh reimhe a leithid ann an Éirinn, agus rinn mi cabhag dhachaidh. Nuair a thàinig mi, cha robh sgial agam air a' bhoireannach; agus dh' fhoighneachd mi do Ghruagach na Tiobard càit an deach i.

'Thàinig a seo, on a dh' fhalbh thu fhéin,' orse ise, ' triùir chruiteirean, agus o nach robh thu fhéin a stoigh gos do mharbhadh, cha rachadh iad gad iarraidh dha 'n bheinn sheilg on a fhuair iad am boireannach a stoigh, agus thug iad leotha i.'

' An dà, creach agus dunaidh agus dubh bròn air tighean ormsa! —cia mar a gheobh mi nist i? ' orsa mi fhìn.

Ach ghabh mi sìos chon a' chladaich," orsa e fhéin, " agus chuir mi mach am bàta fada.

Thug mi a toiseach ri muir agus a deireadh ri tìr :
Thog mi na siùil bhreaca bhaidealacha
An aghaidh nan crann fada fuilingeach
Fiù 's nach robh crann ga lùbadh no seòl ga reubadh,
A' caitheamh a' chuain chonnaich bhàin.
Linge bruach a' bogairt—
'S e bu cheòl cadail agus tàmh dhomh,
Glòcadaich fhaoileag is lùbadaich easgann,
A' mhuc a bu mhutha ag itheadh na muice bu lugha
'S a' mhuc a bu lugha dianamh mar a dh' fhaodadh.
Faochagan croma ciar' an aigeil
A' glagadaich a stoigh air a h-ùrlar
Aig fheabhas a bha mi ga stiùireadh.
Gun dianainn stiùireadh na deireadh, iùil na toiseach ;
Gum fuasglainn am ball bhiodh ceangailt' innte
Agus gun ceanglainn am ball bhiodh fuasgailt' innte.

Agus a' dol seachad air eilein chunnaic mi an triùir chruiteirean, agus fear na shuidhe air gach taobh dhe 'n bhoireannach agus pòg ma seach aca dhith, agus an treas fear na sheasamh a' seinn ciùil dhaibh. Ach, a Mhurchaidh mhic Brian, cha robh miar dhe m' mhiaraibh-sa nach do chagain mi eagal gun rachainn nam chadal aig feabhas a' chiùil a bha e dianamh, gos an d' fhuair mi goirid dhaibh. Agus nuair a fhuair, tharrainn mi an lorg cheàrnach nach do dh' fhàg fuidheall beuma riamh far na bhuaileadh i, agus na bha fo na glùinean aig an dithis chruiteirean a bha nan suidhe chuir mi dhiubh e. Cha do sheall mi dé an rathad a ghabh am fear eile nuair a fhuair mi am boireannach, agus thug mi liom dhachaidh i.

Chaidh mo chur a chadal ann an sobhal fada fàs an oidhche sin a rithist. Agus thàinig guth chon na h-uinneig, agus dh' éibh e gu robh dà latha seilgeadh agus sìdhneadh fhathast agam ri dhianamh mum faighinn banais no pòsadh.

' Tha sin ann,' orsa mi fhìn, ' agus nam biodh an còrr ann, cha rachadh tus' a dh' inns' an ath sgeul.'

'Cha lughaide do chuid-sa a gheasachd an eilein sin,' ors esan, 'mura cuirinn na geasaibh ud ortsa, chuireadh fear eil' ort iad.'

Dh' fhalbh mi fhìn air làirne mhàireach agus chaidh mi dha 'n bheinn sheilg, agus rinn mi an t-sealg mhór éibhinn fhiantach nach do rinneadh riamh reimhe a leithid ann an Êirinn. Rinn mi cabhag dhachaidh air eagal 's gun toirteadh air falbh am boireannach. Nuair a thàinig mi dhachaidh, cha robh sgial oirre. Dh' fhoighneachd mi do Ghruagach na Tiobard càit an robh i.

''S coma liom fhìn,' ors ise, 'càit a bheil am boireannach sin fhéin.'

Smaointich mi agam fhìn gum marbhainn i air son na freagairt a thug i dhomh. Ach thuirt mi an sin rium fhìn, nan dianainn sin, nach fhaighinn a mach idir cà an deach i.

'An dà,' ors i fhéin, 'thàinig a seo, bho na dh' fhalbh thu fhéin, triùir fhuamhairean móra, agus o nach robh thu fhéin a stoigh gos do mharbhadh, cha rachadh iad or o thòir dha 'n bheinn sheilg, ach a thaobh 's gun d' fhuair iad am boireannach thug iad leotha i.'

'An dà,' orsa mise, ' 's math tha fios agam an dràsd cà an téid mi ga h-iarraidh. 'S cruaidh, 's cruaidh an gàbhadh anns an d' fhuair iad reimhe mi.'

Nuair a fhuair mi mi fhìn air dòigh, dh' fhalbh mi a dh' ionnsaigh aitreabh nam fuamhairean.

Nuair a ràinig mi, cha robh mi faicinn duine man cuairt. Thòisich mi air dhol a stoigh air dorsan, agus cha robh mi faicinn duine. Bha mi a siod a' tighean a mach air dorus, agus dh' fhairich mi bhith gam ribeadh. Ach. a Mhurchaidh mhic Brian, tha mise smaointean, ciod a bhiodh a' chlach stéidheadh a b' ìsle bh' ann an dorus na cathrach air a ceangal riumsa, gun tugainn liom as mo dheaghaidh i leis an leum a thug mi asam nuair a dh' fhairich mi bhith gam ribeadh. Ach an sin thuirt mi rium fhìn nach robh ann ach ribeadh faoin, agus choimhead mi stoigh, agus bha an a sin, air chùl an doruis, Macan Liathach Lochlann agus e ceangailte, agus ghrìos e rium fhuasgladh agus gum biodh e na dheagh chompanach dhomh, gu robh na fuamhairean an dràsd ag iasgach agus gu robh iad dol ga mharbhadh nuair a thigeadh iad.

Dh' fhuasgail mi e," orsa Fear na h-Eabaid, "agus chan fhaca mise sealladh dheth tuilleadh.

Chaidh mi stoigh a seo do sheòmbar eile, agus bha am boireannach a bha mi 'g iarraidh an sin, agus i na suidhe ann an cathair amalaidh òir, agus bha a' chathair amalaidh òir dol man cuairt leatha fhéin. Agus bha creis air caoineadh agus creis air gàireachdraich aice.

'Gu dé,' orsa mi fhìn, ' fàth do shubhachais an dàrna h-uair agus fàth do dhubhachais an uair eile ? '

'Thà,' ors i fhéin, 'subhachas orm chionn t' fhaicean agus tha dubhachas orm a chionn t' fhaicean.'

'Gu dé,' orsa mi fhìn, 'an dubhachas a th' ort a chionn m' fhaicean ? '

'Thà,' ors ise, ' gura h-e do cheann an ciad rud a théid nam thairgse a nochd.'

'An dà, cha téid mo cheann-sa co dhiubh,' orsa mise.

'O, théid,' ors ise, ' chan eil fhios co a chumas as e. Tha iad siod an dràsd air falbh ag iasgach, ach ga a dh' fhalbhamaide, bheireadh àsan oirnn le an cuid ceannbhardan uisge. Ach nam biodh na ceannbhardan uisg' aca air an losgadh, cha bhiodh rathad air a dhol as ar deaghaidh. Agus, 'ors i fhéin, 'chan eil math an cur ann an aon teine, a chionn ma théid, bidh iad a' dol a sheachd cruaidhead agus a sheachd làidireachd 's a bha iad riamh. Feumar teine air leith a dhianamh dha 'n a chuile té aca.'

Dh' fhalbh mi mach agus thòisich mi air dianamh nan teintean. Bha cailleach earradh ro ghlas a' geàrrd a' bhoireannaich ; agus ghiotadh i mach, agus dhianadh i dà theine ma 'n aon fhear riumsa. Agus nuair a bha na teintean deas, chaidh na ceannbhardan uisg' a chàradh annta, agus chaidh an losgadh agus an luath a leigeil leis a' ghaoith. Agus an sin dh' fhalbh sinn.

Bha againn ri dhol seachad air an àite bha na fuamhairean ag iasgach, agus mhothaich iad dhuinn. Sheòl iad na trì drialmaichean dubha, agus bhuail iad air deireadh mo luingeadh iad. Ach, a Mhurchaidh mhic Brian, nam bu luath mo long a' falbh bho thìr, bu sheachd luaith' i na sin a' tilleadh ucasan.

'Ach saoil,' ors am boireannach rium, 'ciod a tha geasaibh air na trì drialmaichean dubha acasan, chan eil geasaibh air bial na luingeadh agadsa. Nach leig thu leotha pìos do bhial na luingeadh, agus cuir pìos dhe 'n eabaid na àite.'

Tharrainn mi an lorg cheàrnach nach do dh' fhàg fuidheall beuma riamh far na bhuaileadh i, agus na bha ceangailte ris na trì drialmaichean dubha acasan do bhial mo luinge-sa leig mi leotha e. Agus thuit àsan air an cràgan air a' chladach. Agus chuir mi pìos dhe 'n eabaid na àite.

Ach chuala sinn a seo a' chailleach earradh ro ghlas ag éibheach dha na fuamhairean agus i an déis am boireannach ionndrainn. 'S e na h-ainmean a bh' aic' orra—Siobar Bheulcu agus Corran Ceaflaidh agus Carraigeal Cosgail.

'Coma leat,' ors àsan, 'cha bhi sinne fada breith orra nuair a gheobh sinn ar cuid ceannbhardan uisge.'

Nuair a chaidh iad dhachaidh, cha robh romhpa ach luath, agus nuair a chunnaic iad gu robh an cuid ceannbhardan uisg' air an losgadh, cha robh bó an robh laogh no caor' an robh uan no làir an robh searrach no bean an robh leanabh a gaoth sheachd mìle a dhorus na cathrach nach cuireadh iad ast' e leis a chuile burral caoinidh a rinn na fuamhairean a' caoidh nan ceannbhardan uisge.

Ach co dhiubh," orsa Fear na h-Eabaid, " fhuair sinn dhachaidh, agus chaidh mi fhìn a chur an oidhche sin a chadal ann an sobhal fada fàs a rithist. Agus thàinig guth chon na h-uinneig ag éibheach dhomh gu robh latha seilgeadh agus sìdhneadh agam ri dhianamh mum faighinn bainis no pòsadh.'

' Tha sin ann,' orsa mi fhìn, 'agus nam biodh an còrr ann, cha rachadh tus' a dh' inns' an ath sgeul.'

'Cha bu lughaide do chuid-sa a gheasachd an eilein sin,' ors am fear eile, 'mura cuirinn-sa na geasaibh ud ort, chuireadh fear eil' ort iad.'

Dh' éirich mi fhìn gu math moch," orsa Fear na h-Eabaid, " air làirne mhàireach, agus chaidh mi na bheinn sheilg. Rinn mi an t-sealg mhór éibhinn fhiantach nach do rinneadh riamh reimhe a leithid ann an Êirinn, agus ghreas mi dhachaidh air eagal agus gun toirteadh air falbh am boireannach. Ach nuair a ràinig mi an toigh, cha robh sgíal oirre.'

Dh' fhoighneachd mi a Ghruagach na Tiobard càit an robh i.

' Thàinig,' ors ise, ' an a seothach bhon a dh' fhalbh thu fhéin dha 'n bheinn sheilg Macan òg na Gréigeadh, agus o nach robh thu fhéin a stoigh gos do mharbhadh, cha rachadh e gad iarraidh on a fhuair e am boireannach a stoigh, agus thug e leis i.'

Co dhiubh," orsa Fear na h-Eabaid, " fhuair mi mi fhìn air dòigh air son mo thuruis, agus chuir mi mach am bàta fada.

Thug mi a toiseach ri muir agus a deireadh ri tìr :
Thog mi na siùil bhreaca bhaidealacha
An aghaidh nan crann fada fuilingeach
Fiù 's nach robh crann ga lùbadh no seòl ga reubadh,
A' caitheamh a' chuain chonnaich bhàin.
Linge bruach a' bogairt—
'S e bu cheòl cadail agus tàmh dhomh,
Glòcadaich fhaoileag is lùbadaich easgann,
A' mhuc a bu mhutha ag itheadh na muice bu lugha
'S a' mhuc a bu lugha dianamh mar a dh' fhaodadh.
Faochagan croma ciar' an aigeil
A' glagadaich a stoigh air a h-ùrlar
Aig fheabhas a bha mi ga stiùireadh.
Gun dianainn stiùireadh na deireadh, iùil na toiseach ;
Gum fuasglainn am ball bhiodh ceangailt' innte
Agus gun ceanglainn am ball bhiodh fuasgailt' innte.
Cha bu cham gach slíghe dhomh ach sheòl mi dìreach dha 'n Ghréig.'

Nuair a chaidh mi air tìr, chuir mi mo làmh ann an sgròban na luingeadh agus thug mi seachd fad fhéin i air talamh glas far nach sgobadh gaoth i 's far nach sgréibheadh grian i 's far nach ruigeadh beadagan beag baile mhóir oirre gos a bhith magadh no ballachd-bùird oirre gos am faighinn fhìn a rithist i. Chum mi air aghaidh. Thachair aoghaire beag orm agus e buachailleachd tàin chruidh.

' Gu dé do naidheachd, aoghaire ? ' orsa mi fhìn ris.

' Cha tug thu fiach dhomh a chionn mo sgiùil,' ors esan.

' Nach tug, a laochain ? ' orsa mise.

' Cha tug,' ors esan.

Chuir mi mo làmh nam phòca agus thug mi dòrnan òir agus dòrnan airgid dha.

' An dà, gum biodh a bhuaidh agus a bheannachd dhut,' ors an t-aoghaire beag, ' agus gum bu duin' aig am biodh buaidh thu agus do shliochd ad dheaghaidh. Tha bainis agus mór phòsadh a nochd air Cathair na h-Aithne aig Macan òg na Gréigeadh agus aig nighean Gruagach na Tiobard. Agus tha iad air mionnan a thoirt, ma chì iad fear eabaide duibheadh, luirge ceàrnaich, phaidrean chnàmh agus phaidrean unga mar a tha thusa, gum bi e air a mharbhadh mun téid e an gaoth sheachd mìle air dhorus na cathrach.'

' An dà, laochain, chan eil thu gun naidheachd,' orsa mi fhìn.
Chuir mi mo làmh nam phòca agus thug mi dòrnan òir agus dòrnan airgid eile dha.

' Siuthad thu a nist,' orsa mi fhìn ris an aoghaire, ' cuir dhiot do chuid aodaich agus cuiridh mis' umam e ; agus cuiridh mise dhìom m' aodach agus cuiridh tus' umad e.'

'S ann mar seo a bhà. Dh' atharraich sinn aodaichean. Ach, a Mhurchaidh mhic Brian, ce b' e a chitheadh mis' agus aodach an aoghaire bhig orm agus gun e ach a' cromadh le ploc mo mhàis gun falach nan sléisnean agam, agus an t-aoghaire beag agus m' aodach-sa a' slìobadh cunntais shlat as a dheaghaidh !

Dh' fhalbh mi agus ràini' mi goirid dha 'n aitreabh. Chunnaic mi toigh beag sgiobalta air leith a mach leis fhéin, agus ghabh mi stoigh ann. Cha robh an a shin ach cailleach agus i na suidhe aig teine leatha fhéin. Agus rinn i lasgan mór gàire.

' Car son,' ors ise, ' nach robh thusa shuas aig an toigh mhór ud shuas comhla ri daoine bochd' eile na rìoghachd agus gum faigheadh tu do chuairt ? '

' Car son,' orsa mise, ' nach robh thu fhéin shuas aig an toigh mhór comhla riutha agus gum faigheadh tu fhéin cuairt ? '

' O,' ors ise, ' chan eil annamsa ach seana bhoireannach bochd lapach nach eil coiseachd no astar aice, agus thig mo chuairt dhachaidh ugam.'

' An dà,' orsa mi fhìn, ' o nach tig mo chuairt dhachaidh ugam-sa, 's fheàrr dhomh dhol suas comhla ri càch.'

Ghabh mi suas go pàileas an rìgh. Bha bòrd air a shuidheachadh a mach o 'n dorus mhór, agus bha bochdan na rìoghachd nan suidhe air gach taobh dheth. Bha biadh agus deoch gu leòr air a' bhòrd, ach bha iad dìolta bithidh agus dibheadh nuair a ràini' mise, agus 's e an obair a bh' aca—bha iad a' crathadh airgid air na daoine bochda. Shuidh mi fhìn ann ceann na sreitheadh agus thug mi làmh air a' bhiadh agus air an deoch a chionn 's ann air bu riatanaich' a bha mi aig an àm. Mar a bha an deoch a' tromachadh orm, thog mi fear a bha taobh a stoigh dhiom agus chuir mi taobh a muigh dhiom e, agus toil agam faighean a dh' ionnsaigh an doruis mhóir. O fhear go fear dhiubh chuir mi taobh a muigh dhiom iad gos an d' fhuair mi go ursann an doruis.

Bha mi a sin nam shuidhe a' feitheamh fiach am faicinn a bhith toirt geòbadh air an dorus. Chunnaic mi a seothach a bhith toirt geòbadh beag faoin air. Leum mi ga ionnsaigh agus chuir mi mo ghuala ris. Thòisicheadh air putadh a mach. Ach, a Mhurchaidh mhic Brian, tha mise smaointean gum biodh cho fasa dhaibhsan a' chlach stéidh a b' ìsle bh' ann an dorus na pàileas a chur a mach na mo ghuala-sa a chur bho 'n dorus nuair a fhuair mi ris i.

Dh' éibh Macan òg na Gréigeadh dé an ùbraid bha e cluinntean ma 'n dorus. Thuirteadh ris nach robh ach fear dhe na daoine bochda bha 'g iarraidh stoigh.

' Leigibh stoigh e,' ors e fhéin, ' a chionn chan eil ann ach duine bochd a chleachd a bhith ann an cuideachd.'

Leigeadh a stoigh mi, agus ghabh mi gu dìblidh a cheann eil' an taighe far nach robh duin' ach mi fhìn.

Cha robh mi fad sam bith an sin nuair a thàinig an duin' òg aimeasgaidh mì-chiallach a nuas agus rinn e ruidhle dhannsadh air mo bhialaibh, agus nuair a bha e ullamh, tharrainn e an dòrn orm as cionn nan sùl. Ach, a Mhurchaidh mhic Brian, cha bu luaithe rinn e sin na spàrr e a dhòrn na bhial. Agus cà 'n do bhuaileadh mi ach anns a' phaidrean unga bh' as cionn mo mhaladh.

' Ud, ud,' ors esan, ' tha mi air mo ghortachadh. Ma shiubhail e an domhan no an saoghal, tha stoigh agaibh air an ùrlar a seo fear eabaide duibheadh, luirge ceàrnaich, phaidrean chnàmh agus phaidrean unga.'

Ach, a Mhurchaidh mhic Brian, nuair a chuala mise bhith toirt m' ainm, thug mi làmh thall 's a bhos feadh an taighe agus fhuair mi seana chlaidheamh ruadh meirgeach nach eil fhios cuin a rinneadh car leis, agus ghabh mi dha na bha stoigh leis, agus cha do dh' fhàg mi duine beò ann dhe na bh' ann ach Macan òg na Gréigeadh agus athair 's a mhàthair agus am boireannach ud a siod.

Cha robh sian a chruinnich Macan òg na Gréigeadh air son na bainnseadh aige fhéin nach do dheònaich e nist a chosg ri bainis a dhianamh dhomhsa.

Thug mi liom dhachaidh am boireannach air an turus sin. Chaidh bainis agus mór phosadh a dhianamh dhuinn an déidh tighean dhachaidh.''

Nuair a ghabh iad am biadh, dh' fhag Murchadh mac Brian beannachd aig Fear na h-Eabaid, agus dh' fhalbh e. Ràinig e an tom sealg. Nuair a bha e treis a feitheamh, thàing a mhòr shluagh, agus chaidh iad dhachaidh còmhladh.

Agus dhealaich mise riutha.

SGIALACHD MICH RIGH LOCHLANN

Chuala mise siod a bh' ann—Rìgh Lochlann. Agus mar a bha Rìgh Lochlann ann, phòs e ; agus có an té a phòs e ach nighean Rìgh na Sorcha. Cha b' fhad' a seo gos an deach a tuisleadh air leanabh mic, agus chruinnich Rìgh Lochlann a chuile duine a b' urramaiche na a chéile a bh' aige 's an rìoghachd a dh' ionnsaigh na bangaid bhaistidh. Mun robh a' bhangaid bhaistidh seachad, dh' eug a' bhannrigh.

Smaointich Rìgh Lochlann aige fhéin gum b' fheàrr dha an leanabh a chur air altramas go duin' air choreigin dhe na bh' aige cruinn, agus có an duine air na mhaidich e ach air fear ris an cante Iarla na Fiùdhbhaidh, air chor agus gum faigheadh e muime chìcheadh dha mhac go cionn latha agus bliadhna.

Ghabh Iarla na Fiùdhbhaidh mac Rìgh Lochlann. Agus fhuair e dà 'r 'eug bhanaltram, agus cha d' rinn e roghainn no diughaidh air a h-aon aca, ach an té a bu ghiorra dha dhiubh, thug e dhith am pàisde. Cha robh mios muice no madaidh aig an té a b' fhaisge dhith ac' oirre fhéin o nach i fhéin a fhuair mac an Rìgh air thoiseach.

An té a fhuair e, chàirich i a' chìoch ann am bial an linibh, agus thug an leanabh an sgobadh ud oirre agus thug e dhith o 'n ghualainn i.

Cha robh toileachadh ann ach an toileachadh a bh' air an ath té a' breith air mac Rìgh Lochlann nuair a chunnaic i mar a dh' éirich dha 'n téidh eile. Chuir i a' chìoch ann am bial an linibh, agus thug an leanabh an sgobadh ud oirre agus thug e dhith o 'n ghualainn i.

Rug an treas té air an leanabh, agus rinn e an t-aona ciand' oirre. Smaointich an naoinear eile gur ann anns an leanabh a bha am meang 's nach b' ann annta fhéin, agus thug iad an dorus orra.

Thòisich an leanabh air cruaidh rànaich agus thòisich Iarla an Fiùdhbhaidh air cruaidh spaisdireachd. Bha e smaointean gura h-e crois a bh' ann a chuir Dia na rathad—mac fhir chinnidh a chur air altramas ga ionnsaigh, agus nach fhaigheadh e muime cìche dha. Bha e deònach an treas bonn 's a b' fhiach e dhe 'n t-saoghal a thoirt air thé sam bith a bheireadh cìoch latha 's bliadhna do Mhac Rìgh Lochlann.

Ach có a bheannaich a stoigh chon an ùrlair ige ach Gruagach a' Bhruit Uaine.

"Cuid seo, Iarla na Fiùdhbhaidh ? " ors ise, " 's mór an sprochd 's am mulad 's an lionn-dubh th' or aire."

"An dà, chan eil mi falamh dheth," ors Iarla na Fiùdhbhaidh.

"An dà," ors ise, " 's math tha fios do smaointean agam."

"Seadh," ors esan.

"Tha thu smaointeachadh," ors ise, " gun tugadh tu seachad an treas bonn 's as diach thu dhe 'n t-saoghal do thé sam bith a bheireadh cìoch latha 's bliadhna do Mhac Rìgh Lochlann."

30

"Thà," ors esan, "agus dhianainn e."

"Ma thà," ors ise, "'s bargan e."

Rug i air an leanabh, agus chuir i na h-uchd e, agus chaidil e. Chuir i a sin dha 'n leabaidh e.

"Nist," ors i fhéin, "tha rudan a dhìth ormsa a dh' fheumadh a bhith agam an a seo agus a dh' fheumas mi falbh gan iarraidh."

"O," ors Iarla na Fiùdhbhaidh, "gheobh sinn feadhainn eile a théid air tòir nan gnothaichean sin, agus cha ruig sìbhse leas falbh."

"O," ors ise, "'s olc as aithnde dhaibh cà an téid iad gan iarraidh. Ach," ors i fhéin, "bidh an leanabh anns a' chadal ud go aon uair diag a màireach, agus bidh mis' air ais aig a' mhionaid sin. Ach biodh na sia gallain leanna cho treasa 's a tha ri faotainn agad a stoigh romhamsa agus an dà 'r 'eug fear cho treasa 's a th' ann an Lochlann."

Agus thug i an leum cheithir eang ud aiste, agus cha robh fhios aige co dhiubh 's e an talamh a shluig i no an t-adhar a thog i.

Ach co dhiubh fhuair e dhachaidh na sia gallain leanna agus an dà 'r 'eug fear.

An sin air làirne mhàireach bha e seall_tainn a mach fiach am faiceadh e tighean i. Bha e sìor choimhead air an uair, agus ma dheireadh cha robh e cur an uaireadair na phòc' idir. Agus nuair a bhuail e na h-aon diag, leig an leanabh ràn anns an leabaidh, agus bha ise stoigh an dorus.

"'S math a chum thu ri d' choinneamh," ors Iarla na Fiùdhbhaidh.

"Cha do bhrist mi air mo choinneamh," ors ise, "ri duine riamh, agus cha bu toil liom gur ann oirbhse a bhristinn an toiseach i. Ach gu luath luath cuirteadh dà ghallan dhe 'n lionn air teine, agus diante blàth dhomh e, agus mi air damaist fhaighean."

Chaidh sin a dhianamh, agus dh' òl i an dà ghallan bharr a cìnn. Thug i ice am pàisd agus shuidh i air suidheachan leis.

"Nist, fhearaibh," ors i fhéin, "dhe bheil ainm spionnaidh, theirigibh ann an greimeannan thall 's a bhos man cuairt ormsa agus cumaibh ri làr mi."

Chuir i an sin a' chìoch ann am bial an linibh. Agus thug an leanabh an sgobadh ud oirre, agus thog e i fhéin agus an dà 'r 'eug fear as an àit' a robh iad nan suidhe.

"Gu luath luath," ors i fhéin, "cuirte dà ghallan eile dhe 'n lionn air teine, agus diante blàth dhomh e, agus mi air damaist fhaighean."

Rinneadh sin, agus dh' òl i an dà ghallan bharr a cìnn.

"Nist," ors ise, "fhearaibh dhe bheil ainm spionnaidh, na leigibh le Mac Rìgh Lochlann dianamh orm fhìn agus oirbh péin mar a rinn e reimhe."

Chuir i a' chìoch ann am bial an linibh. Agus thug an leanabh an sgobadh ud oirre, agus mur e sin turus a b' fhaid' a thog e iad, chan e dad a bu ghiorra.

"Gu luath luath," ors is fhéin, "cuirte dà ghallan eile dhe 'n lionn air teine, agus diante blàth dhomh e, agus mi air damaist fhaighean."

Rinneadh sin, agus dh' òl i bharr a cìnn e.

" Nist, fhearaibh," ors i fhéin, " dhe bheil ainm spionnaidh, theirigibh ann an greimeannan na 's fheàrr riums' an dràsd, agus na leigibh le Mac Rìgh Lochlann dianamh orm fhìn agus oirbh péin mar a rinn e air an dà thurus reimhe."

" Cumaidh sinn thu an a seo," ors àsan, " an dràsda, ciod a dh' fhalbhadh tu nad bhìdeagan."

Agus mur e sin turus a b' fhaid' a thog an leanabh iad, chan e dad a bu ghiorra. Thuit is' ann an nial, agus rug Iarla na Fiùdhbhaidh na làmhan oirre.

Nuair a dhùisg i, shuidh i air suidheachan leis an leanabh.

" Nist, fhearaibh," ors i fhéin, " dhe bheil ainm spionnaidh, chum mise ris a siod agus chan eil leanabh ann an Lochlann as fhasa cl
och a thoirt dha tuilleadh na e. Faodaidh sìbhse nist dhol dhachaidh."

Bha is' an a sin ag altram Mhic Rìgh Lochlann. Agus bha e a seo a' teannadh suas ri ceann na bliadhna.

Nuair a bha ceann na bliadhn' ann, sheall ise mach as an toigh. Chunnaic i móran do spréidh thall air taobh cnoic ; agus dh' fhoigh-neachd i do dh' Iarla na Fiùdhbhaidh gu dé na bha do spréidh air a' chnoc ud thall.

" Tha an a siod," ors Iarla na Fiùdhbhaidh, " do thuarasdal-sa air son do shaothair bho chionn latha's bliadhna an a seo, agus mo bheannachd fhìn agus beannachd Dhia comhla ris."

" Ma tà," ors ise, " gabhaidh mise do bheannachd fhéin agus beannachd Dhia, agus bidh siod agad fhéin. Ach," ors ise, " thoir dhomh cead dhe m' leanabh mach bharr crìochan a' bhaile."

" Ma tà," ors esan, " 's e sin an rud as lugha as còir dhomh."

Thog i an leanabh leatha air a gualainn, agus dh' fhalbh Iarla na Fiùdhbhaidh comhla rithe.

" Nist," ors e fhéin rithe, " bithear a' foighneachd fhathast dhe 'n leanabh co bu mhuime dha, agus tha e cinnteach gur ann aig oide bu chòir fios a bhith air. Mar sin, bu mhath brath ur n-ainme mun dealghamaid."

" Thà," ors ise, " Bean Chaol a' Chòt Uaine ; agus tha ceithir cheàrnaibh anns an domhan, agus thàinig mi o 'n cheathramh roinn dheth. Agus an còrr do bhrath m' ainme-sa cha bhi agadsa no aig fear eile."

Sheòl i an leanabh sìos le sgarbachdan chlach nach do thràigh riamh aig am bonn ; agus thug i an leum cheithir eang ud aiste, agus cha robh fios aige co dhiubh 's e an talamh a shluig i no an t-adhar a thog i.

Bha e nist ga fhaicean fhéin na bu mhiosa dheth na bha e riamh. Bha e smaointean nam biodh corp an linibh aige gos a thaisbeanadh dha athair gum biodh e toilichte gu leòr. Ach bha e coimhead thall 's a bhos, agus gu dé ach a chitheadh e aig bonn nan sgarbachdan an leanabh ag iomain agus ball òir agus caman airgid aige.

Cha robh toileachadh ann ach an toileachadh a bha nist air. Agus chrom e sìos, agus thug e nuas an leanabh, agus thug e dhachaidh e.

Cha robh e fad as a dhéidh sin nuair a chaidh e dhachaidh go athair leis.

Ach ann an ceann ùin' as a dhéidh seo gu dé ach a smaointich

Rìgh Lochlann air pòsadh a rithist. Agus có an té a rachadh e dh' iarraidh an dràsd ach nighean Rìgh na Gréige Móireadh.

Thug e leis ciad long agus ciad gaisgeach air a chuile luing ; agus nuair a ràinig e, thòisich a' bhainis, agus thug i latha agus bliadhna.

Ann an ceann na bliadhna, " Ma tà," orsa Rìgh Lochlann, " 's ann a bliadhna chon a nochd a thàini' mi a dh' iarraidh do nighinn ri pòsadh. Thug mi liom ciad long agus ciad gaisgeach air a chuile luing, agus cuir thusa ciad long agus ciad gaisgeach air a chuile luing dhachaidh le d' nighinn fhéin, agus bidh dà chiad dol dhachaidh comhladh."

" Nì mi sin," orsa Rìgh na Gréige Móreadh.

Nuair a ràinig iad Lochlann, thòisich a' bhainis taighe.

Air treis a dh' oidhche dh' éirich fear dhe na bha 's a' chuideachd na sheasamh.

" Càit," ors esan, " a bheil e fo cheithir ranna ruadh' an t-saoghail bainis as fheàrr ceòl is òl is aighear is aoibhneas na a' bhainis a th' an a seo a nochd ? "

Bha seann duine liath a stoigh. " Ma tà," ors esan, " nan cuireadh sibh as dha 'n fhear ud, chan éireadh an ath fhear ; agus ma dh' éireas an treas fear, bidh trioblaid a stoigh nach eil a stoigh na bhàthas i."

Ach le bòlaich na cuideachd cha tugadh feairt air an t-seann duine.

Ach an ceann treiseadh dh' éirich an ath fhear na sheasamh.

" Càit," ors esan, " a bheil e fo cheithir ranna ruadh' an t-saoghail bainis as fheàrr ceòl is òl is aighear is aoibhneas na a' bhainis a th' ann a nochd ? "

" Thuirt mi rìbh reimhid," ors an seann duine, " nam biodh sibh air cur as dha 'n chiad fhearr, nach éireadh am fear ud ; agus ma dh' éireas an treas fear, bidh trioblaid a stoigh nach eil a stoigh na bhàthas i."

Ach le bòlaich na cuideachd cha tugadh feairt air an t-seann duine.

Dh' éirich a seo an treas fear. " Càit," ors esan, " a bheil e fo cheithir ranna ruadh' an t-saoghail bainis as fheàrr ceòl is òl is aighear is aoibhneas na a' bhainis a th' an a seo a nochd ? "

" Thalla," ors an seann duine, " ciol a chuireadh sibh as dha 'n triùir aca nist, cha bhiodh e go sian a dh' fheum."

Cha b' fhada gos na bheannaich a stoigh chon an ùrlair Gruagach a' Bhruit Fhinn agus Gruagach a' Bhruit Ghuirm agus Gruagach a' Bhruit Uaine ag iarraidh cath agus comhraig air Rìgh Lochlann.

Thòisich Rìgh Lochlann air dhol na chulaidh chath agus na chruaidh chomhraig.

" Cha sibhse théid ann idir, athair," ors a mhac, " 's ann a théid ann mise."

" Ma tà," orsa Rìgh Lochlann, " a laochain, chan fhaca tus' a bheag do chruadal no ghàbhadh riamh ; ach théid mis' ann, agus ma thuiteas mi, théid thusa gam dhiughailt."

" Chan ann mar sin idir a bhitheas, athair," orsa Mac Rìgh Lochlann, " ach théid mis' ann, agus ma thuiteas mi, cha ruig sìbhs' a leas no neach eile dhol gam dhiughailt."

Thòisich Mac Rìgh Lochlann air dhol na chulaidh chath agus na chruaidh chomhraig. Chuir e a chòtan sìoda sròil air uachdar a chòrn léineadh. Chuir e sgiath bhucaideach bhacaideach gharbh-mhìn air a thaobh chlì, air am faicteadh iomadach dealbh—dealbh leóghann leabarda, crìbh ìmeannach, nathair bheumannach, air an cur sìos ma seach ann an claidheamh duilleach geurlannach diasfhadach colgfhaobharach. Chuireadh e ceann bharr amhaich gu socair, gu lìomhaidh leóbhaidh liobhanta, gu sòite sàite so-bhuailte. Ghearradh e naoi naodhannan a nùll agus naoi naodhannan a nall, agus ghlacadh e 's an làimh chiand a rithist e.

Ghabh iad a mach anns na ceumannan moiteile toirteileach làn-athaiseach. Cha robh aon fhàd a bha iad a' tionndadh as deaghaidh an sàlach nach bu lugha na beinn 's nach bu mhutha na maol chnoc sléibhe.

Thòisich Mac Rìgh Lochlann agus Gruagach a' Bhruit Ghuirm air a chéile gu fiachach fuathach feargach, gìogach gàgach meanmnach. Trì dithean a chuireadh iad dhiùbh—dith teine dhe 'n armaibh, dith cailceadh dhe 'n sgiathan, dith dhe 'm fuil, dhe 'm feòil, dhe 'm féithean ann an cleitibh adhair agus iarmailte. Chruinnich mialchoin fhìorchoin an domhain a ghabhail àr an dà bhéisteadh aig fheabhas a bha iad a' fiachainn ri chéile. Gun tugadh iad air an talamh sgàineadh, 's air an fhairrge tràghadh 's air an adhar fosgladh 's air na rionnagan tuiteam, 's gum beileadh garbh mhuileann aig fheabhas leis a chuile h-allt dhe 'n fhuil bha sruthadh bhuapa.

Thug Gruagach a' Bhruit Fhìnn an leum ud a nall gan ionnsaigh, agus spìon i dheth an làmh o 'n ghualainn.

" Ud, ud," ors esan, " tha mi air mo ghortachadh."

Ghabh Gruagach a' Bhruit Uaine a nall far an robh e.

" Tha thu or o ghortachadh ? " ors i fhéin.

" Thà," ors esan.

Thionndaidh i ri Gruagach a' Bhruit Fhìnn. " Cuir a làmh air a ghualainn," ors i fhéin, " a sheachd cruaidhead agus a sheachd làidireachd 's a bha i reimhe, air neo 's e do cheann as ball iomanach dhomh feadh a' chlobhsa an ceartair."

Fhuair Gruagach a' Bhruit Fhìnn plàstar do luibh do bhàrr na machrach, agus leis a sin chuir i a làmh air a ghualainn mar a bha i reimhe.

" Cia mar a nist," orsa Gruagach a' Bhruit Uaine, " tha thu faireachdainn do làimheadh ? "

" Thà," ors esan, " nam biodh an té eile air a bristeadh agus air a cur mar siod, gu bheil mi smaointeachadh gun comhraiginn an saoghal uileag."

" Seadh," ors a' Ghruagach, " fàgaidh sinn mar sin fhéin thu. Ach tha mise gad chur-sa fo gheasaibh 's fo chrosaibh 's fo naoi buaraichean mnatha sìthle siubhla seacharain an laochan beag geàrr donn as miota 's as mi-threòraiche na thu fhéin a thoirt do chìnn 's do chluais 's do chaitheamh beatha dhìot ma nì thu stad choiseadh no chìnn gos am faigh thu mach có as muime dhut."

Agus thug iad an leum cheithir eang ud asta, agus cha robh fhios co dhiubh 's e an talamh a shluig iad no an t-adhar a thog iad.

Fios cha robh aigesan có bu mhuime dha mura robh aig athair agus fios cha robh aig athair mura robh aig oide, agus fios cha robh aig oide ach ' Bean Chaol a' Chòt Uaine,' agus gu robh ceithir chearn-aibh anns an domhan agus gun tàinig i o 'n cheathramh roinn dheth.

Nist, cho moch 's gun tàinig an latha màireach, thog Mac Rìgh Lochlann air go falbh.

" 'N ann a' falbh a thà thu, a mhic ? " orsa Rìgh Lochlann.

" 'S ann," ors esan.

" Ma tà," ors an Rìgh, " nach toir thu leat comharra mhic rìgh agus ridire nad chois—luingeas air muir agus càbhlach air tìr ? "

" Cha toir," ors esan, " cha diochd liom mi fhìn bhith a dhìth oirbh ciod nach biodh sin a dhìth oirbh."

Ghabh e sìos chon a' chladaich. Thug e slatag bheag a mach a bun a mhuilichinn agus bhuail e air carra creigeadh i agus rinn e long fhada dhith.

Thug e a toiseach ri muir 's a deireadh ri tìr.

Thog e nà siùil bhreaca bhaidealacha
Ann an aghaidh nan crann fada fuilingeach
Fiù 's nach robh crann ga lùbadh no seòl ga reubadh
A' caitheamh a' chuain chuanaich bhàin.
Linge bruach a' bogairt—
'S e bu cheòl cadail agus tàmh dha.
Glòcadaich fhaoileag 's lùbadaich easgann,
A' mhuc a bu mhutha ag ithe na muic' a bu lugha,
'S a' mhuc a bù lugha dianamh mar a dh' fhaodadh i.
Faochagan croma ciar' an aigeil
A' glagadaich a stoigh air a h-ùrlar
Aig fheabhas a bha e ga stiùireadh.
Gun dianadh e stiùireadh na deireadh, iùil na toiseach ;
Gum fuasgladh e am ball bhiodh ceangailt' innte
Agus gun ceangladh e am ball bhiodh fuasgailt' innte.

Nochd an seo fearann ris, agus chaidh e go tìr. Chuir e a làmh ann an sgròban na luingeadh agus thug e a seachd fad fhéin air talamh glas i far nach sgobadh gaoth i 's far nach sgréibheadh grian i 's far nach ruigeadh beadagan beag baile mhóir oirre gos a bhith magadh no ballachd bùird oirre gos am faigheadh e fhéin a rithist i. Chunnaic e aitreabh bhriagh shuas air cnoc, agus ghabh e suas ice.

Bha an dorus fosgailte, agus ghabh e stoigh. Bha bòrd an a sin air a chuibhrigeadh, agus a chuile seòrsa bithidh agus dibheadh air an smaointicheadh e air, agus gun duine ma thimcheall. Thòisich e air a' bhiadh, agus an t-acras air. Ach smaointich e aige fhéin, nam b' ann aig aon chreutair ceart a bhitheadh e, gum biodh cuideigin aca fhéin ma thimcheall ; agus dh' fhàg e bhuaidh e. Rinn e a seo an ath smaointean, ce 'r bith co aige bha am biadh agus an deoch, nach robh sian ceàrr air a h-aon dhiubh, agus gum bu neochiontach dha gun an gabhail agus e feumach air. Thòisich e air a' bhiadh an turus sin, agus ghabh e a dhìol dheth.

Ach cha b' fhada gos na dh' fhairich e hù pàp a' tighean chon an taighe ; agus thàinig dà 'r 'eug fear a stoigh agus fear mór ruadh air an ceann, agus mart mór ac' eatorra.

" Aoigh shona thlachdar shealbhach," ors am Fear Mór Ruadh, " a' tighean a dh' ionnsaigh an taighe am bial na h-oidhcheadh. Nan gabhadh tu sgialachd dhomh, bhithinn goirid a bhith cho math 's a bha mi riamh."

Thòisich Mac Rìgh Lochlann air gabhail na sgialaichd, agus thuit am Fear Mór Ruadh na chadal. Thòisich an dà 'r 'eug eile air feannadh na bà.

Stad Mac Rìgh Lochlann a seo dhe sgialaichd, agus dhùisg am Fear Mór Ruadh.

" Aoigh shona thlachdar shealbhach," ors e fhéin, " agus b' fhurasda dhomhs' aithneachadh gum b' e sin thù tighean a dh' ionnsaigh mo thaighe ann am bial na h-oidhcheadh. Nan gabhadh tu sgialachd eile dhomh, bhithinn goirid a bhith cho math 's a bha mi riamh."

Thòisich Mac Rìgh Lochlann ris an sgialaichd, agus thuit am Fear Mór Ruadh na chadal. Bha an dà 'r 'eugh a nist agus feòil na bà ac' air teine ann an coireachan ga bruich air son an suipearach.

Stad a seo Mac Rìgh Lochlann dhe sgialaichd, agus ghrad dhùisg am Fear Mór Ruadh.

" Aoigh shona thlachdar shealbhach," ors e fhéin, " b' fhurasda dhomhs' aithneachadh gum b' e sin thù tighean a dh' ionnsaigh mo thaighe ann am bial na h-oidhcheadh. Nan gabhadh tu sgialachd eile dhomh, bhithinn cheart cho math 's a bha mi riamh."

Thòisich Mac Rìgh Lochlann ri a sgialaichd, agus thuit am Fear Mór Ruadh na chadal. Bha an dà 'r 'eu eile air an suipeir a ghabhail ; chaidh iad a chadal, agus dh' fhàg iad Mac Rìgh Lochlann agus am Fear Mór Ruadh a siod.

Stad a seo Mac Rìgh Lochlann dhe sgialaichd, agus ghrad dhùisg am Fear Mór Ruadh.

" Aoigh shona thlachdar shealbhach," ors e fhéin, " agus b' fhurasda dhomhs' aithneachadh gum b' e sin thù tighean a dh' ionnsaigh mo thaighe ann am bial na h-oidhcheadh, agus gu bheil latha 's seachd bliadhna o nach d' rinn mis' urad siod a chadal sàmhach."

" Nist," orsa Mac Rìgh Lochlann, " on as mi fhìn a thug a' chiad chadal dhuibh ré na h-ùine sin, nach inns sibh dhomh gu dé bha cumail a' chadail bhuaibh ? "

" Bhà," ors am Fear Mór Ruadh, " cogadh a bh' eadar mi fhìn agus Rìgh na h-Iorabhaigh ; agus cha do dh' fhàg iad duine beò agam ris an t-saoghal dhe na bh' agam do shluagh ach an dà 'r 'eug ud a chunnaic thu tighean dhachaidh comhla rium. Ciod a mharbhainn na bh' aige do shluagh an diugh, bhiodh iad air an tathbheothachadh mun tigeadh an làirne mhàireach aig caillich earradh ro ghlas agus aig fuamhairean móra."

" Car son," orsa Mac Rìgh Lochlann, " nach do dh' fhàg thu an rìoghachd aca dhaibh péin 's nach do dh' fhalbh thu aiste ? "

" Thà," ors esan, " bha an tailgneach ag innse gur e mac a bheireadh mo phiuthar do Rìgh Lochlann a bheireadh a mach an rìoghachd seo dhomh fhathast."

" Có an té a bu phiuthar dhut ? " orsa Mac Rìgh Lochlann.

" Bhà," ors esan, " nighean Rìgh na Sorcha."

" An dà," orsa Mac Rìgh Lochlann, " 's mis' am mac a rug i sin do Rìgh Lochlann."

" An tus'," ors am Fear Mór Ruadh, " a hàrlaid dhiabhalta, bha-

dol a thoirt a mach rìoghachd dhomhsa, agus gum b' olc an athais thu go sin a dhianamh an latha a dh' fhairligheadh orm fhìn."

"Ce 'r bith dé a dhianainn," ors esan, "'s mì am mac a rug do phiuthar-sa do Rìgh Lochlann."

Dh' fhalbh am Fear Mór Ruadh agus ghabh e a shuipeir, agus cha do dh' iarr e air mac a pheathar a dhol ga gabhail, ach ghabh mac a pheathar i gun iarraidh idir. Chaidh am Fear Mór Ruadh a chadal, 's cha do dh' iarr e air mac a pheathar a dhol a chadal, ach chaidh mac a pheathar a chadal gun iarraidh idir.

Nuair a dh' éirich am Fear Mór Ruadh 's a' mhadainn, sheall e mach, agus nuair a thill e stoigh, cha robh gas gruaigeadh a bh' air a cheann nach robh na stob.

"U bhùbh," orsa Mac Rìgh Lochlann, "cha chreid mi fhìn nach fhaca sibh sealladh mór on a chaidh sibh mach."

"O, chunnaic," ors esan, "seall thusa mach agus chì thu fhéin e."

Sheall Mac Rìgh Lochlann a mach, agus ar leis gu robh sluagh an dà shaoghail air chnoc thall ma choinneamh. Dh' fhoighneachd e dhe 'n Fhear Mhór Ruadh gu dé na bha do shluagh an a siod.

"Thà," ors am Fear Mór Ruadh, "a chuile duine a mharbh mis' agus an dà 'r 'eug ud a siod o chionn ùine air an tathbheothachadh aig cailleach earradh ro ghlas agus aig fuamhairean móra o thàinig an oidhche."

"Nach thugainn mi fhìn agus sibh péin," orsa Mac Rìgh Lochlann, "agus nach toir sinn àr orra?"

"Tha mi coma ciod a rachadh," ors am Fear Mór Ruadh.

Nuair a ghabh iad am biadh maidneadh, dh' fhalbh iad. Ghabh fear dha gach ceann dhe 'n t-sluagh dhiubh, agus ghabh iad dhaibh gos na choinnich iad a chéile, agus cha do dh' fhàg iad ceann air amhaich mun deach a' ghrian fodha. Dh' fhalbh iad a sin dhachaidh, ghabh iad an suipeir agus chaidh iad a chadal.

Bha Mac Rìgh Lochlann a' cumail dheth fhéin a' chadail cho math 's a b' urrainn dha, agus toil aige éirigh nuair a chaidleadh am Fear Mór Ruadh agus dhol dha 'n àraich fiach am faiceadh e cia mar a bha iad a' tathbheothachadh nan daoine marbha. Dh' fhairich e a seo am Fear Mór Ruadh a' tarrainn srann, agus nuair a shaoil leis a bha e trom gu leòr na chadal, dh' éirich e agus chuir e ime agus dh' fhalbh e dha 'n àraich, agus leig e e fhéin na shìneadh an sin ann an ceann an t-sluaigh.

Ach cha b' fhada gos na dh' fhairich e crith air talamh agus fuaim air speuran aig fuamhairean móra nan cóig ceann, nan cóig meall 's nan cóig muineal a' tighean.

"'S fhad'," ors esan, "as nàr 's as sgannalach an oidhch' a nochd ma bheireas an latha màireach air na bheil a seo do shluagh gun tathbheothachadh, nuair a bu chòir trian a bhith agamsa agus trian aig m' athair, agus mi fhìn cinnteach, ciod as i mo mhàthair as fhaid' a bhios gun tighean, gum bi i ullamh dhe a trian fhéin romhainne fhathast. Ach a bheil duine sam bith a seo anns a bheil a bheag no mhór dhe 'n anam dhianadh cuideachadh liomsa 's gun dianainn-sa cuideachadh leis?"

37

"Tha mis' a seo," orsa Mac Rìgh Lochlann, "agus nan dianadh tusa cuideachadh liom, dhianainn-sa cuideachadh leat."

Dh' fhalbh am fuamhaire agus bhog e an làmh mhór a bh' aige anns a' bhallan nimhe agus anns a' bhallan tathbheothaiche, agus chuir e a mhiar ann am bial Mhic Rìgh Lochlann. Leig Mac Rìgh Lochlann deagh chudam oirre le fhiaclan.

"Ao haoi," ors am fuamhaire, "cruaidh ghreim curaidh sin è, a Mhic Iain Liathaich Lochlann. 'S fhad' o bha fiosaichean agus fàidhichean ag innse nach rachadh an cath a bha seo seachad gun thus' a bhith ma thimcheall. Ach, a làmh t' athar-sa, cha bhi thu fad' ann."

Agus am bad a chéile ghabh e fhéin 's am fuamhaire. Smaointich Mac Rìgh Lochlann gu robh e goirid da nàimhdean agus fad' o chàirdean, agus thug e an togail shunndach thoilearach ud dha fhéin o cheannaibh a leas go barraibh òrdag agus rug e air an fhuamhaire agus bhuail e e air slataich a dhroma ri leacan troma talmhanna agus bhrist e cliathan fodha agus gaoirdein as a chionn. Agus thug e dheth na cìnn. Ach cha robh comhrag aigesan ach an comhrag a bh' aige a' cumail nan ceann o 'n cholainn gos an reothadh an fhuil, agus nuair a reothadh an fhuil, dh' fhanadh na cìnn o' n cholainn leotha fhéin.

Leig e e fhéin na shìneadh ann an ceann an t-sluaigh a rithist. Agus cha b' fhada gos na dh' fhairich e crith air talamh agus fuaim air speuran aig fuamhairean móra nan cóig ceann 's nan cóig meall 's nan cóig muineal a' tighean.

"'S nàr 's is sgannalach an oidhch' a nochd," ors esan, "ma bheireas an latha màireach air na bheil a seo do shluagh gun tathbheothchadh nuair a bu chòir trian a bhith agamsa agus trian aig mo mhac, agus mi fhìn cinnteach, ciod as i mo bhana-chompanach as fhaid' a bhios gun tighean, gum bi i ullamh dhe a trian fhéin romhainne fhathast. Ach a bheil duine sam bith a seo anns a bheil a bheag no mhór dhe 'n anam dhianadh cuideachadh liomsa 's gun dianainn-sa cuideachadh leis?"

"Tha mis' a seo," orsa Mac Rìgh Lochlann, "agus a bheag no mhór annam fhathast dheth. Nan dianadh tusa cuideachadh liom, gun dianainn-sa cuideachadh leat."

Bhog am fuamhaire an làmh mhór a bh' aige anns a' bhallan nimhe agus anns a' bhallan tathbheothaiche, agus chuir e a mhiar ann am bial Mhic Rìgh Lochlann. Thug Mac Rìgh Lochlann deagh chudam oirre.

"Ao haoi," ors am fuamhaire, "cruaidh ghreim curaidh sin è, a Mhic Iain Liathaich Lochlann. 'S fhad' o bha fiosaichean agus fàidhichean ag innse nach rachadh an cath a bha seo seachad gun thus' a bhith ma thimcheall. 'S tu a mharbh mo mhac ach, a làmh t' athar-sa, cha mharbh thu mise."

An bad a chéile ghabh e fhéin 's am fuamhaire. Smaointich Mac Rìgh Lochlann gu robh e goirid da nàimhdean agus fad' o chàirdean, agus thug e an togail shunndach thoilearach ud dha fhéin o cheannaibh a leas go barraibh òrdag agus rug e air an fhuamhaire agus bhuail e e air slataich a dhroma ri leacan troma talmhanna agus bhrist e cliathan.

"Ao haoi," ors am fuamhaire, " cruaidh ghreim curaidh sin è, a Mhic Iain Liathaich Lochlann. 'S fhad' o bha fiosaichean agus fàidhichean ag innse nach rachadh an cath a bha seo seachad gun thus' a bhith ma thimcheall. 'S tu a mharbh mo mhac ach, a làmh t' athar-sa, cha mharbh thu mise."

An bad a chéile ghabh e fhéin 's am fuamhaire. Smaointich Mac Rìgh Lochlann gu robh e goirid da nàimhdean agus fad' o chàirdean, agus thug e an togail shunndach thoilearach ud dha fhéin o cheannaibh a leas go barraibh òrdag agus rug e air an fhuamhaire agus bhuail e e air slataich a dhroma ri leacan troma talmhanna agus bhrist e cliathan fodha agus gaoirdein as a chionn. Agus thug e dheth na cìnn. Ach cha robh comhrag aigesan ach an comhrag a bh' aige a' cumail nan ceann o 'n cholainn gos na reothadh an fhuil agus nuair a reothadh an fhuil dh' fhanadh na cìnn bho 'n cholainn leotha fhéin.

Leig e e fhéin na shìneadh ann an ceann an t-sluaigh a rithist. Agus cha b' fhada gos na dh' fhairich e crith air talamh agus fuaim air speuran aig caillich earradh ro ghlas bu ghràinnde dreach agus dealbh agus aogasg a' tighean, urchair dhe cìch thoisgeil air a gualainn dheis agus urchair dhe cìch dheis air a gualainn thoisgeil, agus an fhiacail a b' fhaid' a stoigh 's i bu chrann rothaid an rothad dhith, agus an fhiacail a b' fhaid' a mach 's i bu bhrod griasaich dhith. Bha e smaointean gu robh e faicean a cridhe 's a grùthan air chrith air ùrlar a cléibh, nuair a bha i sgamhadaich a' dìreadh an leothaid a nuas ga ionnsaigh agus sleagh theine air gach gualainn aice.

" 'S fhad' as nàr 's as sgannalach," ors ise, " an oidhch' a nochd ma bheireas an latha màireach air na bheil a seo do shluagh gun tathbheothachadh nuair bu chòir trian a bhith aig mo mhac agus trian aig mo chompanach dhiubh air an tathbheothachadh, mas ann a' suirghe no seircineachd air chlann rìgh no ridirean a tha iad nuair bu chòir dhaibh bhith an a seo. Ach a bheil duine sam bith a seo anns a bheil a bheag no mhór dhe 'n anam dhianadh cuideachadh liomsa 's gun dianainn-sa cuideachadh leis ? "

" Tha mis' a seo," orsa Mac Rìgh Lochlann, " agus a bheag no mhór annam fhathast dheth ; nan dianadh tusa cuideachadh liom, dhianainn-sa cuideachadh leat."

Dh' fhalbh i agus bhog i a làmh anns a' bhallan nimhe agus anns a' bhallan tathbheothaiche agus chuir i a miar ann am bial Mhic Rìgh Lochlann. Leig esan cudam math oirre.

" Cruaidh ghreim curaidh sin è," ors ise, " a Mhic Rìgh Lochlann. 'S fhad' o bha fiosaichean agus fàidhichean ag innse nach rachadh an cath bha seo seachad gun thus' a bhith ma thimcheall. 'S tu a mharbh mo mhac agus mo chompanach, ach, a làmh t' athar-sa, cha mharbh thu mise."

Sheol i té dhe na sleaghan a bh' aice, agus chaidh i far seachd mìll agus seachd glìnn agus seachd tulaichean anns na speuran an taobh thall dheth. Smaointich e, nan caitheadh i an té eile, gun cuireadh i an saoghal na theine. Agus thug e am fideadh ud ice thaobh a cùil agus bhrist e a druim agus chuir e fo a ghlùin fodha anns a' mhòintich i.

Leig e e fhéin na shìneadh ann an ceann an t-sluaigh agus e fàs sgìth. Agus cha b' fhad' a seo gos na nochd Rìgh na h-Iorabhaigh 's a chuid sluaigh. Agus ghabh Mac Rìgh Lochlann dhaibh agus cha do dh' fhàg e ceann air amhaich aca.

Leig e a sin e fhéin na shineadh ann an ceann an t-sluaigh a rithist. Agus chunnaic e creutair a' tighean, agus nuair a bhiodh e creis a' coiseachd, bha e 'g éirigh air iteig dha na speuran. Smaointich Mac Rìgh Lochlann aige fhéin, ciod a chuir Dia neart ann fhéin a chomhraigeadh neach a bhiodh air talamh, gu robh e doirbh dha creutair a bhiodh a' tighean as na speuran a chomhrag. Ach nuair a theann e air, dh' aithnich e gur e bràthair a mhàthar a bh' ann.

'S e a' chiad fhàilte a chuir e air : " O," ors esan ; " bheil thu beò ? "

" Thà," orsa Mac Rìgh Lochlann, " ach ciod a thà fhéin, tha thus' an déis eagal gu leòr a chur orm."

" Tha mi cinnteach gu bheil," orsa bràthair a mhàthar.

" Ach," orsa Mac Rìgh Lochlann, " gu dé bha toirt dhut a bhith falbh anns na speuran ? "

" Bhà," orsa bràthair a mhàthar, " nuair a smaointichinn air an dìol a bha thusa faighean an a siod o thàinig an oidhche an déis an damaist a fhuair mi fhìn aca, bha mo thùr 's mo chiall gam fhàgail agus bha mi 'g éirigh air iteig comhla ri ianlaith an adhair. Agus nuair a smaointichinn an sin agam fhìn gum b' olc an athais thusa no neach eile gos an rìoghachd a thoirt a mach an latha a dh' fhairlgheadh orm fhìn, bha mi tighean go m' thùr 's go m' chiall fhìn agus a' tighean go làr ann am miosg nan Crìosdaidhean."

" Ma tà," orsa Mac Rìgh Lochlann ris, " chan eil fuamhaire mór no cailleach earradh ro ghlas no Rìgh na h-Iorabhaigh no duine dhe dhaoine nach eil air am marbhadh, agus tha an rìoghachd air a toirt a mach dhut a nist."

" Ma tà," ors am Fear Mór Ruadh, " thugainn thusa dhachaidh comhla riumsa nist, a mhic mo pheathar. Agus," ors esan, " 's e Macan Mór na Sorcha a feirear riumsa."

Goirid as a dhéidh sin dh' fhoighneachd Macan Mór na Sorcha do Mhac Rìgh Lochlann gu dé a chuir air an rathad a bh' an a seo e. Dh' innis Mac Rìgh Lochlann dhà, facal air an fhacal, mar a thàinig na gruagaichean dhachaidh gan ionnsaigh oidhche bainis athar agus mar a chaidh na geasaibh a chur air.

" Ma tà," orsa bràthair a mhàthar ris, " 's fhurasda dhu'sa do cheann gnothaich fhaighean a mach agus gur ann ann an aon crìch riumsa a tha na gruagaichean sin a' fuireach."

Làirne mhàireach thog iad orra air falbh go caisteal nan gruagaichean, agus choinnich na gruagaichean a muigh iad.

" Faire, faire, dhuin' uasail," orsa Gruagach a' Bhruit Uaine, " b' fheàrr lea'sa bhith cumail cath agus comhraig ri cailleach earradh ro ghlas agus ri fuamhairean móra na tighean a chumail na coinneamh a chuir sinne brath ort. Ach chan eil fhios am nach e an rud as duilghe dhut a rinn thu o dh' fhalbh thu bharr baile mór t' athar fhéin fhathast."

" Nach fhaigh mi mach e ? " orsa Mac Rìgh Lochlann.

40

" Chan fhaigh an diugh," ors ise, " ach gheibh thu mach a màireach e."

Bhà, an oidhche sin, biadh an àite caithte agus ceòl an àit' éisdeachd agus céir an àite losgaidh ann an caisteal nan gruagaichean. Nuair a thàinig àm dol a chadal, dh' fhoighneachd Gruagach a' Bhruit Ghuirm càit an caidleadh Mac Rìgh Lochlann a nochd.

" Caidlidh mo leanabh ann am achlais far am minig a chaidil e," orsa Gruagach a' Bhruit Uaine.

" Ma tà," ors an té eile, " cha bhi thu ach air an darna taobh dheth, agus bidh mis' air an taobh eile, agus bidh Gruagach a' Bhruit Fhìnn aig a cheann, agus bidh Macan Mór na Sorcha aig a chasan, agus bidh sinn nar geàrrd mór thimcheall mar sin air go an tig an latha."

'S ann mar seo a bhà. Chaidh iad a chadal. Bha coinneal laist' air a' bhòrd. Ach cha robh Mac Rìgh Lochlann a' faighean cadail idir, agus chaidil càch uile.

Ach gu dé a chitheadh Mac Rìgh Lochlann ach an aon bhoinne faladh do bhoireannach a b' àille a chunnaic e riamh o thùs an domhain go deireadh na dìle a' cromadh a stoigh as a chionn anns an leabaidh agus a' tathann pòigeadh air. Dh' éirich e na shuidhe anns an leabaidh gos a' phòg a ghabhail, agus thionndaidh ise cùl a cìnn ris. Dh' éirich esan mach as an leabaidh, agus bha is' an uair sain mach an dorus. Nuair a bha esan mach an dorus, bha is' air glanadh a mach o 'n toigh.

Chum i air aghaidh anns an aon astar bhuaidhe gos an deach i stoigh air dorus bial uamhadh, agus thionndaidh i air na caillich earradh ro ghlas. Cha d' fhuair esan riamh comhrag ige seo ach an té ma dheireadh bha e marbhadh dhiubh. Ach ma dheireadh leag e i.

" Bàs as do chionn," ors esan, " gu dé t' éiric ? "

" Chan eil am bàs as mo chionn idir," ors ise, " ach leig thusa nam sheasamh mi, agus nan dòirteadh tu ann an ceann a chéile am ballan nimhe agus am ballan tathbheothaiche ud thall, bu chumhang leat do chuid do dhorus bial uamhadh aig na bhiodh ag éirigh mad thimcheall do chlann rìghrean is ridirean a chuir mis' as dhaibh."

" Bidh sin agam agus do cheann, a chailleach," ors esan. Agus mharbh e i.

Cha robh a nist an latha a' tighean, agus bha e gabhail fadachd agus toil aige tilleadh. Smaointich e, ma bha an fhìrinn aig a' chaillich, gun dòirteadh e an dà bhallan ann an ceann a chéile.

Cho luath 's a rinn esan sin, thòisich iad air éirigh thall 's a bhos ma thimcheall—clann righrean is ridirean a chuir is' as daibh. Ma bha gach duin' ann, bha triùir mac le Rìgh Éireann ; agus thug an darna fear mionnan air bois an fhir eile nach dealghadh iad ri Mac Rìgh Lochlann go bràth.

" An dà, chan e sin a nì sibh," ors esan, " ach tha mi cinnteach gu bheil ur cuideachda fhéin a' gabhail fadachd mhór dhiobh, agus 's fheàrr dhuibh dhol dhachaidh gan ionnsaigh, agus ma thig feum àraid sam bith agams' oirbh, cuiridh mi brath gar n-ionnsaigh go sibh a thighean gam chuideachadh."

Nuair a chual iad seo, 's e a b' fheàrr, agus dh' aontaich iad sin a

41

dhianamh. Dh' fhàg iad slàn aig Mac Rìgh Lochlann agus dh' fhalbh iad dhachaidh.

Bha an latha a nist air tighean, agus bha Mac Rìgh Lochlann a' tilleadh dhachaidh go caisteal nan gruagaichean. Choinnich bràthair a mhàthar air an rathad e, agus e falbh ga iarraidh. Nuair a dh' ionndrainn e mac a pheathar as an leabaidh, cha robh bó an robh laogh no caor' an robh uan no bean an robh leanabh no làir an robh searrach an gaoth sheachd mìle o dhorus na çathrach nach cuireadh iad ast' e leis a chuile burral caoinidh a dhianadh e a' caoidh mhic a pheathar. Agus thill iad dhachaidh comhladh.

Choinnich na gruagaichean a muigh iad.

" Faire, faire, dhuin' uasail," ors a Gruagach a' Bhruit Uaine, " b' fheàrr lea'sa bhith cumail cath agus comhraig ri cailleach earradh ro ghlas agus ri fuamhairean móra o thàinig an oidhche na fuireach comhla rinne. Ach chan eil fhios nach e an rud as duilghe dhut a rinn thu o dh' fhalbh thu bharr baile mór t' athar fhéin fhathast."

" Nach fhaigh mi mach an diugh e ? " ors esan.

" Thà," orsa Gruagach a' Bhruit Uaine, " an rioghachd a th' againn an a seo air dhol a dhìth—tha seachd bliadhna bho nach do rinneadh sgrìob àitich innte. Agus 's e as reusan dha sin—mun tàr na seisrichean dol a mach, tha biast a' tighean as a' chuan agus ag òl suas nan each agus nan daoine."

" Ma tà," orsa Mac Rìgh Lochlann, " 's mis' a théid a threabhadh an diugh, ce 'r bith có théid a cheannarachd sheisreach."

" Théid mise," orsa bràthair a mhàthar, " a cheannarachd sheisreach."

Dh' fhalbh iad, agus cha tug iad ach a trì no ceithir do thimcheallaichean anns an iomaire nuair a thàinig a' bhiast as a' chuan agus dh' òl i suas iad fhéin 's na h-eich slàn fallain mar a bhà iad.

" Bheil thu or o chuid armaibh ? " orsa bràthair a mhàthar ris.

" Thà," ors esan.

" Ma tà," orsa bràthair a mhàthar, " oibrich thu fhéin fiach am faigh sinn a mach as a seo mun toir a' bhéist a mach an cuan air neo, ma bheir, tha cho math dhuinn fuireach far a bheil sinn."

Thòisich iad oirre le chéile, agus aig aon uair diag air làirne mhàireach thàinig iad a mach air a' cheann eile dhith, agus dh' fhàg iad a' bhéist marbh.

Chaidh an toirt dhachaidh air plaideachan mìne geala aig na gruagaichean agus gabhail aig an lotan gu math agus gu rò mhath gos an robh iad air an leigheas.

Goirid an déidh sin, bhruidhinn Mac Rìgh Lochlann air tilleadh dhachaidh.

" Nist," ors a mhuime ris, " ma tha thu cur romhad falbh, fiach nach dìochuimhnich thu an rìoghachd sa, a chionn chan eil oighr' oirnn ach thu fhéin. Ma dh' fhanas tu comhla rinn, fhad 's as bord 's as breacag dhuinn e, 's bòrd 's is breacag dhu's' e ; agus nuair a theirigeas dhuinn, teirigidh dhuinn comhladh."

Ach b' fheàrr leis-san tilleadh dhachaidh air son a' chiad chreis dhe 'n ùine co dhiubh ; agus dh' fhàg e fhéin agus bràthair a mhàthar am beannachd aig na gruagaichean, agus gheall e dhaibh nach dìo-chuimhnicheadh e iad fhéin no an rìoghachd.

Nuair a bha e nist a' dealachadh ri bràthair a mhàthar, thuirt bràthair a mhàthar ris : " Ma dh' fhanas tu comhla riumsa, fhad 's as bòrd 's as breacag dhomhs' e, 's bòrd 's is breacag dhu's' e ; agus nuair a theirigeas dhuinn, teirigidh dhuinn comhladh. Agus chan eil oighr' orm ach thusa."

Ach b' fheàrr le Mac Rìgh Lochlann tilleadh dhachaidh a' chiad chreis dhe 'n ùine. Agus dh' fhàg e beannachd aig bràthair a mhàthar.

Air an rathad a' tighean, thachair duine sgiobalta baisgeant' air agus dearbh choltas duin' uasail air, agus bhruidhinn iad ri chéile.

Dh' fhoighneachd Mac Rìgh Lochlann dheth cà a ruigeadh e. Thuirt am fear eile nach robh fios aige.

" Nach neònach an duin' thusa," orsa Mac Rìgh Lochlann, " nach eil fios agad càit a bheil thu dol."

" O, chan eil," ors esan.

"Gu dé a feirteadh ribh ? " orsa Mac Rìgh Lochlann.

" Feireadh," ors esan, " Rìgh Eireann, agus tha mi air m' fhògairt a mach as mo chuid dhearbhaidh dhìleas fhìn aig triùir mac dhomh a thàinig dhachaidh gam ionnsaigh 's a bha air falbh bhuam chionn ùine mhór."

" Nach thugainn thu agus nach till thu comhla rium fhìn," orsa Mac Rìgh Lochlann, " agus gum faiceamaid iad ? "

" O, cha till," orsa Rìgh Eireann, " 's teann liom orm iad."

Rug Mac Rìgh Lochlann air agus chuir e na shuidhe air a ghualainn e. " Ionnsaichidh tu an rathad dhomhsa an a sin fhéin," ors esan.

." O, leig as mise," orsa Rìgh Eireann, " agus coisichidh mi comhla riut fhéin."

Rinn e sin ; 's cha b' fhada gos na ràinig iad Eirinn.

Nuair a chaidh iad go pàileas an rìgh, bha clann Rìgh Eireann a stoigh an a sin agus móran do thulach chléirich aca cruinn comhla riutha a leigeil bithidh agus dibheadh orra.

Bhuail Mac Rìgh Lochlann an dorus, agus thàinig an dorsair a nuas go fhosgladh, agus thuirt e ri Mac Rìgh Lochlann :

" An tus', a hàrlaid dhiabhalta, a gheobhadh a stoigh a seo nuair a tha na h-urad a dhaoine còire ag òl 's ag iomairt dhaibh péin, agus nam faigheadh tu stoigh nach glante an toigh go bràth nad dheagh-aidh."

Tharrainn e dòrn air an dorsair ann an clàr na baithis agus rinn e an toigh dearg le fhuil agus am balla liath le ionchainn. Agus cha robh dorus a bha stoigh nach robh fosgailte roimhe an uair sain gos na ràinig e triùir mac Rìgh Eireann.

"Nach ciatach, a thriùir mac Rìgh Eireann," ors esan, " an dìol a rinn sìbhs' air ur n-athair agus gun an ùine ro fhada on a thathbheothaich mise sibh ann an dorus bial uamhadh. Ach a Rìgh Éireann," ors esan, " gu dé am bàs a tha thusa 'g iarraidh a thoirt dha na bheil a seo do thulach chléirich cruinn aca a' milleadh do chodach ? "

" Thà," orsa Rìgh Eireann, " nam biodh long ann a bhiodh air sgréibheadh ann am port go ìre agus gum biodh fiar a' fàs romh na sàithibh aice, agus a chuile duin' aca bhith air an cuipeadh na broinn, agus seachd luingeas eile bhith ga tothaigeadh o thìr gos am biodh na bha na broinn bàthte—sin am bàs a dh' iarrainn-sa thoirt dhaibh."

Bha sin ann, agus chaidh a chuile gin a bha stoigh a chuipeadh air bòrd na luingeadh, agus bha a seachd eile ga tothaigeadh a mach gos an robh iad bàthte fada mun do dhealghadh riutha.

" Nist," orsa Mac Rìgh Lochlann ri clann Rìgh Eireann, " mura bi sibh strìochdte agus umhail dh' ur n-athair, cha bhi sian aige ach brath a chur gam ionnsaigh-sa agus thig mi agus nì mi a leithid eile siod oirbhse."

Thug an darna fear dhiubh mionnan air bois an fhir eile gum biodh iad strìochdte agus umhail dha 'n athair a seo suas. Agus dh' fhàg Mac Rìgh Lochlann a bheannachd aca, agus dh' fhalbh e dhachaidh.

Ach nuair a bha e teannadh air an toigh, có a thachair a bhith muigh aig an àm ach am péid a bh' aig athair. Agus ruith e stoigh agus thuirt e ri Rìgh Lochlann :

" Có a b' iongantaiche lìbhse mis' fhaicean a' tighean ? "

" Chan eil fhios," orsa Rìgh Lochlann, " mura h-e mo mhac e."

" An dà, 's e a th' ann," ors am péid.

" Falbh thusa mach fhathast," ors an Rìgh, " agus coimhead 'n e an rathad fada glan a tha e gabhail ; agus masa h-è, 's e mo mhac-sa bhios a sin ; agus ma 's e an rathad goirid salach a tha e gabhail, chan è a bhios ann idir."

Sheall am péid a mach agus, nuair a thill e stoigh, " 'S è," ors e fhéin, " an rathad fada glan a tha e gabhail."

" Ma tà," orsa Rìgh Lochlann, " 's e mo mhac-sa bhios a sin."

Bha a nist Rìgh Lochlann an déis trian dhe neart agus trian dhe fhradharc agus trian dhe chlaisneachd a chall ri caoidh a mhic bhon a dh' fhalbh e. Agus ri linn e thighean dhachaidh ga ionnsaigh fhuair e trian dhe gach cuid dhiubh.

Agus dhealaich mise riutha.

CONALL GULBANN, MAC RIGH EIREANN

Chuala mise siod a bh' ann—Rìgh Eireann. Agus mar a bha Rìgh Éireann ann, phòs e. Agus ann an ceann treis a dh' ùine rugadh triùir mac dha.

Nist, bhiodh e fhéin 's a mhór mhaithibh 's a mhór shluagh dol daonnan dha 'n bheinn sheilg. Agus latha bh' an a seo, nuair a chaidh am mòr shluagh a dhianamh na seilgeadh, dh' fhàg iad Rìgh Eireann air an tom shealg gos an tilleadh iad.

Gu dé ach a ghabh an Rìgh ceum sìos rathad glinne bha taobh shìos dheth. Chunnaic e brugh beag do thoigh an a sin. Agus bha e cho eòlach air a' ghleann 's a bha e air a leith làimh 's air a leith chois, agus ar leis nach fhac e toigh riamh ann.

Ghabh e dìreach a dh' ionnsaigh a' bhrugh. Agus nuair a chaidh e stoigh, bha bodach agus cailleach agus nighean òg a stoigh an sin. Fhuair e biadh is deoch is faoilteachas o mhuinntir an taighe. Thàinig a seo an oidhche agus àm dol a chadal

" Ma tà," ors am bodach ris, " chan eil anns an toigh a th' againn n a seo ach an dà leabaidh ; agus tha mise agus an seana bhoireann-ach a siod a' cadal anns an dàrna téidh dhiubh agus tha an nighean òg a' cadal anns an téidh eile. Agus ma 's roghnaiche lea'sa dhol a chadal comhla riumsa agus ris an t-seana bhoireannach no ris an nighinn òig, tha do dhà oghainn agad."

" An dà," orsa Rìgh Eireann, " on a tha mo dhà roghainn agam, caidlidh mise comhla ris an nighinn òig."

'S ann mar seo a bhà.

Nuair a dh' eirich iad 's a' mhadainn agus a fhuair iad am breacast, sheall an Rìgh cuairt a mach. Cha robh e fad' a muigh, nuair a thàinig am bodach a mach as a dheaghaidh, agus ors esan ri Rìgh Eireann :

" Tha bhuat tilleadh a stoigh gu h-aithghearr, chionn tha mac air a bhreith an a siod dhut on a thàini' tu mach."

" 'N ann dhomhsa ? " orsa Rìgh Éireann.

" 'S ann, gu dearbh," ors am bodach, " a chionn chan fhaca mo nighean-sa fear a dh' fhearaibh an t-saoghail riamh o rugadh i ach mise agus tu fhéin, agus tha i saor bhuamsa co dhiubh. Tha thusa smaointean nach eil thu an a seo ach an aon oidhche ach le draodh-achd a' bhrugh tha thu ann latha 's bliadhna, agus tha a' cheart dhraodhachd air an fheadhainn a chaidh dha 'n bheinn sheilg—cha do dh' fhairich iad fhéin an ùine na b' fhaide na aon latha. Agus 's fheàrr dhut do mhac a bhaisteadh mum falbh thu as a seo."

" Ma tà," ors an Rìgh, " tha mise gu don' air—chan eil fhios am có a bhaisteas dhomh e."

" Ma thà," ors am bodach, " nuair a bha mise nam dhuin' òg,

bha mi nam chléireach aig sagart, agus chan eil fhios am nach do
lean rium dheth sin fhathast na bhaisteadh do mhac dhu' sa."

"Tà," ors an Rìgh, "chan eil fhios am gu dé an t-ainm a bheir
mi air."

"Nach toir thu Conall mar ainm air?" ors am bodach, "agus on
's e Grubann Gulbann a feirear ris an àit' a th' an a seo, nach can sinn
Conall Gulbann, Mac Rìgh Eireann, ris?"

'S ann mar seo a bhà. Chaidh Conall a bhaisteadh.

Bha an Rìgh a nist a' falbh.

"Nist," ors am bodach ris, "togaidh agus àraichidh mi do mhac
dhut. Agus nuair a thig e go feum, uair sam bith a bhios e a dhìth
oirbhse, cha bhi agaibh ach cuireadh a chur air agus cuiridh mise gur
n-ionnsaigh e."

Dh' fhalbh an Rìgh chon an tom sheilg. Nuair a bha e treis ann,
thàinig na daoine bh' anns a' bheinn sheilg, agus dh' fhalbh iad
dhachaidh comhladh.

Fada goirid gu robh e as a dheaghaidh seo, gu dé ach a thòisich
an Turcach Mór air cogadh, agus e cur roimhe tighean a stoigh dha
'n Chrìosdachd. Fhuair a chuile Rìgh bha 's an Roinn Eòrpa brath
gos a dhol a chumail thall an Turcaich Mhóir. Agus ma fhuair gach
fear brath, fhuair Rìgh Eireann.

Chuir Rìgh Eireann brath air a' mhac a bu shin' a bh' aige gos
e a dh' fhuireach a ghleidheadh Eirinn gos an tilleadh esan agus a
chuid sluaigh bho 'n chogadh.

"Dà," ors am fear sin ri athair, "Eirinn bheag sgrogach 's suarach
dhomhsa seach mo chead fhìn a bhith agam feadh an t-saoghail.
Théid mi comhla ribh péin."

Chuir e an sin fios air a mhac a bu mhidheanaiche gos e a dh'
fhuireach a ghleidheadh Eirinn. Agus chuir esan cuideachd cùl rithe.

Chuir e an sin fios air a' mhac a b' òig' a bh' aige.

"'S e an gnothach a bh' agam riut," ors esan, "gos tu a dh'
fhuireach a ghleidheadh Eirinn gos an till mi fhìn 's mo chuid daoine
bho 'n chogadh."

"Ma tà," ors am mac a b' òige ris, "tha mic as inbhiche na mis'
agaibh. Agus ciod a mharbhte sìbhse 's a bhlàr agus am bràthair as
sin' a th' agam, thigeadh am fear bu mhidheanaiche agus bheireadh
e bhuams' Eirinn. Mar sin, cha ghabh mi turus ri fuireach ga gleidh-
eadh."

"Tha mi faicean," ors an Rìgh, "gu bheil sibh air cùl a chur
rithe air fad."

Ach gu dé ach a smaointich an Rìgh aig an àm air an fhalachan
a dh' fhàg e ann an Grubann Gulbann. Bha duine stoigh aige bha
cho luath ris a' ghaoith fhéin—'s e Sgal Gaoitheadh an t-ainm a bh'
air—agus dh' òrdaich an Rìgh air falbh e go Grubann Gulbann a dh'
iarraidh Chonaill.

Dh' fhalbh am fear seo agus, anns an àm a ràinig e Grubann
Gulbann, bha Conall a muigh agus e dianamh cleas an ubhail dha
fhéin. Bha togsaid aige agus tàirnean cinn àird innte man cuairt ;
agus nuair a chuireadh e an togsaid go barr a' chnoic 's a leigeadh e ar
falbh i, bhiodh e fhéin air an taraig a b' àird' a bhiodh innte gos an
ruigeadh e ùrlar a' ghlinne.

Chunnaic Conall an duine bh' an a seo a' tighean, agus chan fhac e riamh reimhe ach a mhàthair 's a sheanair 's a sheanmhair. Theich e stoigh cho luath 's a b' urra dha.

"O, dhuine," ors esan ri sheanair, "tha duin' a seo a' tighean agus tha e cho luath ris a' ghaoith fhéin."

Mun do thàr e am facal a leigeil as a bhial, bheannaich am fear eile a stoigh air an ùrlar.

"Seadh," ors am bodach ris, "cuid eile sin, 'ille, do naidheachd a Eirinn?"

"Chuir an Rìgh mi," ors esan, "a dh' iarraidh an fhalachain a dh' fhàg e an a seo."

"An cluinn thu siod, a Chonaill?" ors am bodach, "tha t' athair air cur gad iarraidh."

"Chan eil athair agam," orsa Conall, "ach thu fhéin."

"O, thà," ors a sheanair, "agus tha athair agad as luaithe a feirte na mise ; agus 's fheàrr dhut cur ort agus a bhith falbh ga ionnsaigh."

Dh' falbh Conall. Thug e leis an togsaid. Bha e dianamh cleas an ubhail agus bha e cumail suas ris an fhear eile.

Nuair a ràinig e athair, chaidh e air a ghlùin air a bhialaibh.

"O, éirich bharr do ghlùineadh," ors an Rìgh, "agus cha b' ann air a shon sin a bha mi gad iarraidh. Ach tha mis' an déis cuireadh fhaighean cho math ri rìghrean eile na Roinn Eòrpa gos a dhol a chumail a mach an Turcaich Mhóir gun tighean a stoigh dha 'n Chrìosdachd. Tha do thriùir bhràithrean an déidh diùltadh fuireach a ghleidheadh Eirinn gos an till mise. Tha mi air son gum fan thusa ga gleidheadh."

"Ma tà," orsa Conall, "ciod a mharbhte sìbhse agus an dithis bhràithrean as sin' a th' agam 's a' bhlàr, thigeadh an treas fear agus bheireadh e bhuams' Eirinn. Ach—an rud as tinne chaidh a cheangal bargain riamh—leigibh a mach drap dhe 'r fuil agus sgrìobhaidh am bann dhomhsa gura mi as oighre dligheach or o bheò agus uile gu léir or o bhàs, agus fanaidh mis' a ghleidheadh Eirinn."

Sgrìobh an Rìgh sìos sin dhà. Phaisg esan e agus ghléidh e e.

Dh' fhan Conall a ghleidheadh Eirinn, agus dh' fhalbh an Rìgh agus a thriùir mac agus a chuid daoine a chumail thall an Turcaich Mhóir.

Thog Conall air a seo agus dh' fhalbh e a choimhead air a sheanair.

Nuair a ràinig e, "O, don' e, don' e, Chonaill," ors a sheanair, "'n e seo gleidheadh Eirinn?"

"O, 's e," orsa Conall, "chan eil mi falbh tuilleadh."

"O, 's tu a thà," ors a sheanair, "feumaidh tu falbh. 'S iomadh fear, nam biodh fhios aige gu robh Eirinn na h-ònrachd, a ghabhadh an cothrom." Ach dhiùlt Conall carachadh.

Rug a sheanair air slataig bhig chaoil agus bhuail e air a sheanmhair i agus rinn e carra creigeadh dhith.

"Am falbh thu nist?" ors a sheanair.

"Chan fhalbh," orsa Conall, "ciod a bhiodh i na carra creigeadh an a siod go saoghal nan saoghal."

Dh' fhalbh a sheanair an uair sain agus bhuail e an t-slatag bheag bheag chaol air a mhàthair agus rinn e nathair dhith. Thòisich i air ruith Chonaill feadh an taighe agus, a chuile h-àit' am faigheadh i greim air, bha i ga lot.

"Am falbh thu nist?" ors a sheanair.

"O, falbhaidh," orsa Conall, "'s buidhe liom a nist falbh le m' bheò."

"Ma tà," ors a sheanair ris, "bi glic 's na bi gòrach. Chan eil agad ri fhaicean dhìomsa go bràth tuilleadh ach trì seallaidhean. Ach cruadal no gàbhadh sam bith anns am bi thu, cha bhi agad ach smaointeachadh ormsa, agus bidh mis' agad."

Dh' fhalbh Conall. Bha sneachda mór ann aig an àm. Gu dé a chunnaic e air an rathad roimhe ach bùideir agus e feannadh caorach. Bha drapaichean dhe 'n fhuil a' tuiteam air an t-sneachda ; agus bha fitheach geàrr dubh a' tighean agus, a chuile cothrom a gheobhadh e, sgrobadh e leis drap dhe 'n fhuil.

"Ach," orsa Conall ris a' bhùideir, "an fhiosrach thu," ors esan, "boireannach sam bith air an t-saoghal dhe 'n chruthachd a tha mi dol a chantail riut?"

"Gu dé a' chruthachd a tha sin?" ors am bùideir.

"Thà," orsa Conall, "a falt cho dubh ris an fhitheach 's a gruaidh cho dearg ris an fhuil 's a muineal cho gile ris an t-sneachda."

"An dà," ors am bùideir, "tha iad ag ràdhtha gura h-e sin a' cheart chruthachd a th' air Athan Uchdalach, Nighean Rìgh Chóigeamh Laighean. Agus 's iomadh mac rìgh agus ceann feadhna a chaidh air a tòir agus nach d' fhuair i. Ach chan eil fhios 'n ann mar sin a dh' éireadh dhu'sa."

Dh' fhalbh Conall agus ràinig e am pàileas aig Rìgh Chóigeamh Laighean. Agus gu dé an t-àm a ràinig e ach nuair a bha cùirteirean a' bhaile tighean a mach a dh' iomain.

Ghabh Conall a null far an robh iad agus dh' fhoighneachd e có an taobh a bhiodh esan a' cur.

"An dà," ors àsan, "tha sinn ann urad is urad air gach taobh, ach bidh tu cur an aghaidh na gaoitheadh."

Cha robh a nist caman aige. Ach smaointich e air a sheanair agus bha a sheanair na sheasamh ri a ghualainn.

"Don' e, don' e," ors e fhéin, "'n e seo gleidheadh Eirinn?"

"O, 's è," orsa Conall.

"'S gu dé a nist," ors a sheanair, "tha a dhìth ort an dràsd?"

"Tha a dhìth orm caman," orsa Conall, "agus gun rachainn a dh' iomain comhla ri cùirteirean a' bhaile."

"Seo dhut, ma tà," ors a sheanair, "agus faiceam gun dian thu deagh fheum leis. Chan eil agad ri fhaicean dhìomsa tuilleadh ach dà shealladh, ach cruadal no gàbhadh sam bith anns am bi thu cha bhi agad ach smaointeachadh orm, agus bidh mis' agad."

Thòisich Conall air iomain. Ach ma thòisich, cha b' fhada gos an robh fear dhe na cùirteirean na shìneadh thall agus fear na shìneadh a bhos aige dhiubh. Ach chual a seo guth a cantail có beadagan beag baile mhóir bha milleadh cùirteirean a' bhaile nuair a bha iad ri cluichd buill agus camain dhaibh péin.

Thug e sùil air a chùlaibh agus chunnaic e am boireannach a bh' an a sin a mach go a leith air uinneig shuas pìos air an toigh.

Bheachdnaich e gu math oirre, agus cha robh cruthachd a chual e a bh'
air a' bhoireannach a bha e 'g iarraidh nach robh oirre.

Ghabh e null chon an taighe. Thug e leum as agus spìon e leis i
air fras mullach a ghuailleadh mach air an uinneig, agus ghabh e air
falbh leatha. Thòisich ise ri gal 's ri tùrs.

" Gu dé," ors esan, " fàth do ghal 's do thùrs? "

" Dà, 's mór sin," ors i fhéin, " mo thoirt air falbh bharr baile
mór m' athar fhìn gun aon diar faladh a dhòrtadh air mo shon."

" Stad thus' an a sin, ma tà," ors esan, " agus tillidh mise go toigh
t' athar. Dòirtidh mise fuil gu leòr an ceartair."

Thill e agus ràinig e toigh a h-athar air ais agus dh' iarr e cath
agus comhrag.

Chuireadh a mach cóig ciad lùth ghaisgeach, cóig ciad làn ghaisg-
each, cóig ciad treun ghaisgeach. Cha robh iad a muigh ceart nuair a
bh iad marbh aige leis a' chaman mhór a thug a sheanair dha.

Chuireadh a mach seachd ciad lùth ghaisgeach, seachd ciad làn
ghaisgeach, seachd ciad treun ghaisgeach. Cha robh iad a muigh
ceart nuair a bha iad marbh aige leis a' chaman mhór a thug a
sheanair dha.

Chuireadh a mach naoi ciad lùth ghaisgeach, naoi ciad làn ghaisg-
each, naoi ciad treun ghaisgeach. Mun robh iad a muigh ceart bha
iad marbh aige leis a' chaman mhór a thug a sheanair dha.

" Cha dian mi an còrr àir air mo chuid daoine," ors an Rìgh.
Agus dh' fhalbh Conall.

Nuair a ràinig e far na dh' fhàg e am boireannach, dh' fhoighneachd
e dhith am falbhadh i nist comhla ris.

" Falbhaidh," ors i fhéin, " shiubhlainn a nist an saoghal comhla
riut."

Thòisich esan a sin air gearain a' chadail. Dh' fhoighneachd ise
dheth an robh e fad' o àite fhéin. Thuirt e gu robh agus gum b' fhearr
dhithse suidhe 's gun cuireadh esan a cheann na h-uchd agus gun
caidleadh e.

" 'S fheàrr dhut," ors ise, " cumail air t' aghaidh go t' àite fhéin."

Ach cha deach e fada nuair a chuir e roimhe gun stadadh e. Dh'
iarr e oirrese suidhe 's gun cuireadh e a cheann na h-uchd 's gun
caidleadh e.

" Agus," ors ise ris, " gu dé an sgial dùsgaidh a th' agad? "

" Thà," ors esan, " mo shlaodadh air ghruaig an aghaidh a' gharbh-
laich ud shuas 's mo bhualadh air mo bhonnaibh shuas, mo dhraghadh
sìos 's mo bhualadh air mo bhonnaibh shìos,—agus sin a dhianamh
trì tursan."

" 'S gu dé as sgial dùsgaidh dhut mura dùisg sin thu? " ors ise.

" Thà," ors esan, " liad bonn leithchrun a ghearradh air cùl na
cluaiseadh agam do dh' fhuil 's do dh' fheòil."

" 'S mura dùisg sin thu," ors ise, " gu dé an sgial dùsgaidh a th'
agad? "

" Thà," ors esan, " an carra creigeadh ud thall a bhualadh ann an
carraig an uchd orm."

" An dà," ors ise, " chan eil fhios có a thogas e."

Cha robh smid aige tuilleadh ach thuit e seachad na chadal.

49

Ach gu dé a chunnaic is' ach long a' tighean a stoigh faisg air a' chladach, agus thàinig bàta beag bhuaipe go tìr agus feadhainn dhe na daoin' ann. Dh' fhiach i ri Conall a dhùsgadh nuair a chunnaic i fear garbh dubh a' gearradh sìnteaig go tìr. Gheàrr i liad bonn leithchrun do dh' fhuil 's do dh' fheòil air cùl na cluaiseadh aig Conall; agus cha do dhùisg sin e. Ach cha robh cothrom air—bha am fear a thàinig air tìr as a' bhàta a nuas ice. Chuir e fàilt' oirre agus fhreagair is' e.

" Ma tà," ors esan, " 's iomadh ceann locha agus bun aibhneadh a shiubhail mise or o thòir-sa ciod nach d' fhuair mi riamh ige seo thu."

" Có," ors ise, " bha thu 'g iarraidh ? "

" Bhà," ors esan, " Athan Uchdalach, Nighean Rìgh Chóigeamh Laighean."

" Ma tà," ors ise, " tha mi cinnteach nach ann a' buachailleachd tàin chruidh a gheobht' i, mar a tha mise, agus tha mi cinnteach gur mùirnich na sin i ann am baile mór a h-athar fhéin."

" Chan eil e go difir," ors esan, " chan eil cruthachd a bha mi cluinntean a bh' oirre nach eil or'sa, agus bidh tu agam na h-àite."

" Ma thà," ors ise, " 's e bràthair dhomhsa tha na chadal an a seo. Tha e muigh a seo a' buachailleachd a chruidh a chì thu shìos an a shin. Cha bhi e faighean cus cadail, agus tha mise tighean a mach a chuile latha le biadh ga ionnsaigh agus chan eil latha sam bith nach eil mi leigeil leis treis cadail mun tìll mi. 'S fheàrr dhut a dhùsgadh mum falbh thu.

" Gu dé an sgial dùsgaidh a th' aige ? " ors esan.

" Thà," ors ise, " a shlaodadh air gruaig an aghaidh a' gharbhlaich sin shuas agus a bhualadh air a bhonnaibh shuas, a dhraghadh sìos agus a bhualadh air a bhonnaibh shìos—agus sin a dhianamh trì tursan."

Rug esan air ghruaig air agus shlaod e suas an aghaidh a' gharbhlaich e agus bhuail e air a bhonnaibh shuas e, dhragh e sios e agus bhuail e air a bhonnaibh shios e ; agus cha do dhùisg Conall.

" 'S e tha seo duine marbh," ors esan.

" Chan eil e marbh idir," ors ise.

" Gu dé an sgial dùsgaidh a tha a nist aige ? " ors esan.

" Thà," ors ise, " an carra creigeadh ud thall a bhualadh ann an carriaig an uchd air."

" O," ors esan, " 's ann a tha sin dùsgadh an fhìor ghaisgeich. Ach biodh a chadalan fhéin aigesan agus bidh tus' agamsa."

Thus e leis i dha 'n bhàta, agus sheòl iad air falbh.

Dhùisg a seo Conall uaireigin, agus cha robh sgial aig' oirrese. Ghabh e sìos chon a' chladaich. Nuair a rachadh an tonn a mach o thìr, rachadh e mach as a deaghaidh ; agus nuair a thilleadh an tonn a stoigh, bha esan a' teicheadh a stoigh. Smaointich e a seo air a sheanair, agus bha e na sheasamh ri a ghualainn.

" Don' e, don' e, Chonaill," ors a sheanair, " 'n e seo gleidheadh Éirinn ? "

" O, 's e," orsa Conall.

" Fhuair thu i siod," ors a sheanair ris, " gun móran srì, ach 's ann a tha rud agad ri dhol roimhe mum faigh thu a rithist i. Gu dé a nist tha dhìth ort ? "

" Thà," orsa Conall, " bàta a bheir as a seo mi, agus innis dhomh có thug leis am boireannach orm."

" Thug leis am boireannach," ors a sheanair ris, " Brodraigh, Mac Rìgh an Domhain Mhóir." Agus thug e slatag bheag a bun a mhuilichinne agus bhuail e air carra creigeadh i agus rinn e long fhada dhith.

" Nist," ors a sheanair ri Conall, " chan eil agad ri fhaicean dhìomsa tuilleadh ach aon sealladh ; agus cruadal no gàbhadh sam bith as mutha na chéile a thig ort, smaointich orm agus bidh mis' agad."

Dh' fhalbh a sheanair, agus dh' fhalbh Conall leis an luing.

Cha bu cham gach slighe dha ach sheòl e dìreach dha 'n Domhan Mhór. Nuair a chaidh e air tìr, chuir e a làmh ann an sgròban na luingeadh agus thug e a seachd fad fhéin i air talamh glas, far nach sgobadh gaoth i 's far nach sgréibheadh grian i 's far nach ruigeadh beadagan beag baile mhóir oirre gos a bhith magadh no ballachd bùird oirre, gos am faigheadh e fhéin a rithist i.

Dh' fhalbh e agus ràinig e talamh Mhic Rìgh an Domhain Mhóir. Agus bhuail e beum sgéitheadh ag iarraidh cath agus comhraig air neo adhbhar a mhnathadh 's a leannain a chur a mach ga ionnsaigh.

Chuireadh a mach cóig ciad lùth ghaisgeach, cóig ciad làn ghaisg-each, cóig ciad treun ghaisgeach ; 's mun robh iad a muigh ceart, bha iad marbh aige leis a' chaman mhór a thug a sheanair dha.

Chuireadh a mach seachd ciad lùth ghaisgeach, seachd ciad làn ghaisgeach, seachd ciad treun ghaisgeach. Cha robh iad a muigh ceart nuair a bha iad marbh aige leis a' chaman mhór a thug a sheanair dha.

Chuireadh a mach naoi ciad lùth ghaisgeach, naoi ciad làn ghaisg-geach, naoi ciad treun ghaisgeach. Mun robh iad a muigh ceart, bha iad marbh aige leis a' chaman mhór a thug a sheanair dha.

" Cha dian mi an còrr àir air mo chuid daoine," orsa Mac Rìgh an Domhain Mhóir, " ach gabh suas go toigh nan dorsan lìonar sin shuas, agus gheobh thu cath agus comhrag gu leòr bhuams' a màireach."

Dh' fhalbh e agus ghabh e suas chon an taighe bh' an a sin. Bha ochd doruis dhiag agus ochd fichead diag dorus air an toigh. Nuair a chaidh e stoigh, bha ochd tamhaisg dhiag agus ochd fichead diag tamhasg a stoigh an a sin. Leum a chuile fear riamh dhiubh chon nan dorsan agus chuir iad clomhain orra. Dh' fhalbh Conall agus chaidh e fhéin chon nan dorsan agus chuir e fhéin clomhain orra.

" Aghaidh t' uilc ort," orsa na tamhaisg, " gu dé thug ort sin a dhianamh ? "

" Aghaidh ur n-uilc oirbh péin," orsa Conall, " gu dé a thug oirbh péin a dhianamh ? "

" Thà," ors àsan, " gura h-fhada o nach fhaca sinn duine air an dianamaid bearradh eòin agus amadain gos am faca sinn thusa."

Choimhead Conall orra agus bheachdnaich e air an fhear bu chaoile casan agus com ; rug e air dhà lurgainn air agus ghabh e do chàch leis gos na mharbh e a chuile gin a bha stoigh.

Chual e a sin guth a' cantainn : " O, 's e mo chridhe tha gabhail riut."

Thug e sùil as a chionn, agus bha duine shuas air an sparra ghaoitheadh.

"An dà," orsa Conall, " 's e mo chridhe nach eil a' gabhail riu' sa no ri aon duin' eile ann ad dhùthaich a chionn cha mhór fialachd a fhuair mi innte on a thàinig mi.

" Ma tà," ors am fear eile, " 's Eireannach thu."

" O, 's Eireannach mi, ge b' oil le d' chridhe," orsa Conall, " leig thusa thu fhéin a nuas go làr, agus beiridh mis' ort."

Leig e e fhéin a nuas. Ghlac Conall air achlasan e agus leig e as e gu socair air an ùrlar.

Có bh' an a seothach ach an Duanach O Drao agus dh' innis e do Chonall gura h-è a dh' fhalbh comhla ri athair o Eirinn dha 'n bhlàr agus gur e an obair a bh' aig na tamhaisg nuair a chaidh esan a stoigh cur a mach crann fiach co mìod aca air an ruigeadh greim dhe fheòil agus balgam dhe fhuil.

Ach thàinig a seo ochd steòcaich dhiag agus ochd fichead diag steòcach le biadh a dh' ionnsaigh nan tamhasg. Agus a' chiad fhear a chaidh seachad air Conall, tharrainn Conall an dòrn air ann an cùl a chinn. Shaoil am fear sin gur e am fear a bh' as a dheaghaidh a rinne agus thionndaidh e air ; agus thionndaidh a chuile fear aca air a chéile agus cha do dh' fhàg iad aon aca fhéin beò. Agus bha biadh is deoch gu leòr aig Conall agus aig an Duanach O Drao ann am biadh is deoch nan tamhasg. Ach bha iad gun teine.

Dh' fhalbh an Duanach O Drao far an robh Mac Rìgh an Domhain Mhóir air son teine. Thuirt am fear sin ris gum faigheadh iad a' chruach mhònadh a bh' an a siod ach gum feumadh iad a toirt a stoigh slàn mar a bha i gun aon fhàd a thuiteam aiste. Dh' fhalbh àsan agus gheàrr iad am ploc ma timcheall agus fòipe agus thog iad leotha stoigh i. Agus bha an dìol tein' aca gos an tàinig an latha.

Air làirne mhàireach dh' fhalbh Conall a chumail cath agus comhraig ri Mac Rìgh an Domhain Mhóir, agus thòisich an t-sabaid eatorra.

Feasgar an sin, " Och, och," orsa Mac Rìgh an Domhain Mhóir, " 's tus' a dh' iarr go tòiseachadh ann an éirigh na gréineadh 's an latha shamhraidh, agus 's mis' a tha 'g iarraidh go sgur ann an dol fodha na gréineadh 's an latha shamhraidh."

Bha do lighichean a' feitheamh do Mhac Rìgh an Domhain Mhóir air chor agus gu robh a lotan leitheach a bhith leighiste mun a ràinig e an toigh. Ach cha robh aig Conall bochd ach a bhith sileadh air a chreuchdan air a' chnoc.

" O," ors an Duanach O Drao, " bu mhi fhìn ceann gun phisich gun bhuaidh gun sonas a' tighean ann ad lùib o thoiseach an latha. Tha Mac Rìgh an Domhain Mhóir air a leigheas, agus tha thusa sileadh or o chreuchdan an a sin. Ach 's ann aig Rìgh an Domhain Mhóir tha an aon bhanndoctair ma 'n iadh a' ghrian agus 's ann as fheàrr dhomh dhol far a bheil i fiach gu dé a nì i riut."

Dh' fhalbh an Duanach O Drao agus ràinig e Nighean Rìgh an Domhain Mhóir.

" Aghaidh t' uilc ort," ors esan, " a nighean as òige th' aig Rìgh an Domhain Mhóir, nuair a tha an aon ghaisgeach ma 'n iadh a' ghrian a thàinig or o ghaol 's or o ghràdh 's or o thothaidh a Eirinn a' sileadh air a chreuchdan a muigh a siod agus do bhràthair fhéin air a leigheas mun a ràinig e ceart an toigh."

" Bheil thu smaointean," ors ise, " gura h-e sin a thug an a seo e ? "

" O, nach mi a dh' fhalbh comhla ris a Eirinn ? " ors an Duanach O Drao.

" Ma thà," ors ise, " cuir a stoigh an a seo e."

Dh' fhalbh an Duanach O Drao a mach agus thug e stoigh Conall ga h-ionnsaigh. Agus ghabh i aig a lotan gu math agus rò mhath air chor agus gu robh e air làirne mhaireach deas go tòiseachadh air a' chath a rithist.

Ann an éirigh na gréineadh thòisich e fhéin agus Mac Rìgh an Domhain Mhóir air a chéile. Agus an sin feasgar thuirt Mac Rìgh an Domhain Mhóir : " Och, och, 's tus' a dh' iarr go tòiseachadh ann an éirigh na gréineadh agus 's mis' a tha 'g iarraidh go sgur ann an dol fodha na gréineadh."

Thogadh air falbh Mac Rìgh an Domhain Mhóir go lighiche, agus dh' fhagadh Conall a' sileadh air a chreuchdan an a siod.

Dh' fhalbh an Duanach O Drao a stoigh far an robh Nighean Rìgh an Domhain Mhóir.

" Aghaidh t' uilc ort," ors esan, " a nighean as òige th' aig Rìgh an Domhain Mhóir, nuair a tha an aon ghaisgeach ma 'n iadh a' ghrian a thàinig or o ghaol 's or o ghràdh 's or o thothaidh a Êirinn a' sileadh air a chreuchdan a muigh a siod agus do bhràthair fhéin air a leigheas mun a ràinig e an toigh."

" O, shloightire," ors ise, " agus gur ann a tharrainn e claidheamh fuar eadar mi fhìn 's e fhéin a raoir."

" 'S e a thug air sin a dhianamh barrachd na h-uaisle air eagal agus gum biodh sian ceàrr ri ràdh riu'sa ma dheighean nan tuiteadh e anns a' chath a th' an a seo."

" An dà," ors ise, " chan eil fhios am nach eil thu ceart."

" O, nach ann agam fhìn tha fios air a nàdar," ors an Duanach O Drao.

" Ma thà," ors ise, " falbh 's cuir a stoigh e."

Dh' fhalbh an Duanach O Drao a mach agus chuir e Conall a stoigh ga h-ionnsaigh. Ghabh i aig a lotan gu math agus gu rò mhath air chor agus gu robh e deiseil go tòiseachadh 's a' mhadainn air a' chath a rithist.

'S a' mhadainn air làirne mhàireach ann an éirigh na gréineadh thòisich Conall agus Mac Rìgh an Domhain Mhóir air a chéile.

Ma leith fheasgar chunnaic an Duanach O Drao cailleach a' tighean a nall an rathad a bha iad agus móran do bhuislichean 's do dhealbhannan 's do dh' òrthaichean aice air a basan. Ghabh e null na coinneamh agus dh' fhoighneachd e dhith gu dé bu sgial dha na bha do ghnothaichean aic' air a basan an a siod.

" Thà," ors ise, " nuair a chuireas mi seo eadar dà shlinnein mo mhaighistir fhìn, théid dòrn air bhuirb 's dòrn air fheirg 's dòrn air ghaise aige ; agus càit am facas aon mhac bidich riamh a' tighean a talamh na h-Eireann a chumadh cath trì latha ris ? "

" Chan eil agam dhe 'n t-saoghal," ors an Duanach O Drao, " ach dà chiad marg, agus bheir mi dhut e agus cuir eadar dà shlinnein mo mhaighistir fhìn e."

"Ma tà," ors a' chailleach, "chan fhaigh mi sian air son an cur eadar dà shlinnein mo mhaighistir fhìn agus on as tus' a tha toirt dhomh fiach air a shon cuiridh mi eadar dà shlinnein do mhaighistir fhéin e."

Shìn e dhith an dà chiad marg, agus ghabh i null agus chàirich i eadar dà shlinnein Chonaill e.

An ceann tiotain thug Conall sùil air a ghualainn agus thug e an aire dha na bh' air a chur eadar a dhà shlinnein, agus chaidh dòrn air bhuirb 's dòrn air fheirg 's dòrn air ghaisg' aige agus rug e air Mac Rìgh an Domhain Mhóir agus bhuail e air slataich a dhrom' e ri leacan troma talmhanna agus bhrist e cliathan fodha agus gaoirdein as a chionn.

"Bàs as do chionn," ors a Conall ris, " gu dé t' éiric ? "

" O, chan eil am bàs as mo chionn idir," ors esan, " ach leig thusa nam sheasamh mi, agus is òlach dìleas deagh mhaighistir dhut mi anns gach àit' am bi thu. Agus an rud a tha thus' ag iarraidh an a seo chan eil e ann ri fhaotainn. Thug Iollainn òg òr-Armach leis as a seo i."

Thugadh a stoigh iad le chéile an oidhche sin, agus chaidh gabhail ma 'n lotan gu math agus gu rò mhath.

Air làirne mhàireach dh' fhalbh iad le chéile agus an Duanach O Drao comhla riutha. Nuair a ràinig iad talamh Iollainn òig òr-Armaich, bhuail Conall beum sgéitheadh ag iarraidh cath agus comhraig air neo adhbhar a mhnathadh 's a leannain a chur a mach ga ionnsaigh.

Gheobhadh e cath agus comhrag gu leòr o Iollainn òg òr-Armach ; agus thòisich iad air a chéile. Fada goirid gu robh iad ag obair, thug Conall sùil air a ghualainn agus chunnaic e na buislichean 's na dealbhannan 's na h-òrthaichean a chuir a' chailleach ann, agus chaidh dòrn air bhuirb 's dòrn air fheirg 's dòrn air ghaisg' aige, agus rug e air Iollainn òg òr-Armach agus bhuail e air slataich a dhrom' e ri leacan troma talmhanna agus bhrist e cliathan fodha agus gaoirdein as a chionn.

"Bàs as do chionn," orsa Conall ris, " gu dé t' éiric ? "

" Chan eil am bàs as mo chionn idir," ors esan, " ach leig thusa nam sheasamh mi, agus is òlach dìleas deagh mhaighistir dhut mi a chuile latha bhios feum agad orm. Agus an nì a tha thusa 'g iarraidh a seo chan eil e ann ri fhaotainn. Thug Gruagach an Tùir, Mac Rìgh Sigean leis as a seo i."

Thugadh a stoigh an oidhche sin Conall agus Iollainn òg òr-Armach agus chaidh gabhail aig an lotan.

Air làirne mhàireach dh' fhalbh a' cheathrair aca agus ràinig iad talamh Gruagach an Tùir, Mac Rìgh Sigean. Bhuail Conall beum sgéitheadh ag iarraidh cath agus comhraig air neo adhbhar a mhnathadh 's a leannain a chur a mach ga ionnsaigh. Gheobhadh e cath agus comhrag gu leòr, agus thòisich e fhéin agus Gruagach an Tùir, Mac Rìgh Sigean, air a chéile.

Air creis dhe 'n latha thug Conall sùil air a ghualainn agus chunnaic e buislichean is òrthaichean is dealbhannan na caillich, 's chaidh dòrn air bhuirb 's dòrn air fheirg 's dòrn air ghaisg' aige, agus rug e air Gruagach an Tùir agus bhuail e air slataich a dhrom' e ri leacan troma talmhanna 's bhrist e cliathan fodha agus gaoirdein as a chionn.

"Bàs as do chionn," orsa Conall, "gu dé t' éiric?"

"O, chan eil am bàs as mo chionn idir," ors esan, "ach leig thusa nam sheasamh mi, agus 's òlach dìleas deagh mhaighistir dhut mi a chuile latha go bràth. Agus an nì a tha thusa 'g iarraidh a seo, chan eil e ann ri fhaotainn. Thug Mac Rìgh na Cathrach Iarainn leis as a seo i."

Làirne mhàireach dh' fhalbh a' chóigear aca agus ràinig iad talamh Mhic Rìgh na Cathrach Iarainn. Bhuail Conall beum sgéitheadh ag iarraidh cath agus comhraig air neo adhbhar a mhnathadh 's a leannain a chur a mach ga ionnsaigh. Gheobhadh e cath gu leòr, agus thòisich e fhéin agus Mac Rìgh na Cathrach Iarainn air a chéile.

Air creis dhe 'n latha thug Conall sùil air a ghualainn agus chunnaic e na buislichean 's na h-òrthaichean 's na dealbhannan a chuir a' chailleach eadar a dhà shlinnein, agus chaidh dòrn air bhuirb agus dòrn air fheirg agus dòrn air ghaisg' aige, agus rug e air Mac Rìgh na Cathrach Iarainn agus bhuail e air slataich a dhrom' e ri leacan troma talmhanna, agus bhrist e cliathan fodha agus gaoirdein as a chionn.

"Bàs as do chionn," orsa Conall, "gu dé t' éiric?"

"Chan eil am bàs as mo chionn idir," ors esan, "ach leig thusa nam sheasamh mi, agus 's òlach dìleas deagh mhaighistir dhut mi a cuile latha go bràth. Agus an nì a tha thusa 'g iarraidh chan eil e ann ri fhaotainn. Thug Macan Ghlùin Ghil leis as a seo i."

Làirne mhàireach dh' fhalbh iad agus ràinig iad talamh Mhacan Ghlùin Ghil. Thòisich Conall agus Macan Ghlùin Ghil air a chéile. Nuair a chunnaic Conall na chuir a' chailleach eadar a shlinnein, rug e air Macan Ghlùin Ghil agus bhuail e air slataich a dhrom' e.

"Bàs as do chionn," orsa Conall, "gu dé t' éiric?"

"Chan eil am bàs as mo chionn idir," ors esan, "ach leig thusa nam sheasamh mi, agus 's òlach dìleas deagh mhaighistir dhut mi anns a chuile h-àit' am bi thu go bràth. Agus an nì tha thusa 'g iarraidh a seo, chan eil e ann ri fhaotainn. Thug Macan Mór na Sorcha leis as a seo i."

Làirne mhàireach dh' fhalbh Conall agus a chuile gin dhe na gillean móra bha seo agus ràinig iad talamh Macan Mór na Sorcha.

Nuair a ràinig iad, "Nist," orsa Conall riutha, "cha téid sìbhse stoigh an dràsd ach théid mi stoigh liom fhìn agus, ma thig feum sam bith agam oirbhse, tha fìdeag agam an a seo agus bheir mi glaodh oirre."

Dh' fhalbh Conall agus chaidh e stoigh. Bha e dol a stoigh air dorsan agus ann an seòmbar thachair am boireannach bha e 'g iarraidh air, agus i na suidhe ann an cathair amalaidh òir, agus bha a' chathair amalaidh òir dol man cuairt leatha fhéin. Bha creis air caoineadh agus creis air gàireachdraich aice.

" Gu dé fàth do shubhachais an dàrna h-uair," orsa Conall, " agus fàth do dhubhachais an uair eile ? "

" Thà," ors ise, " subhachas orm a chionn t' fhaicean agus tha dubhachas orm a chionn t' fhaicean."

" Gu dé an dubhachas a th' ort a chionn m' fhaicean ? " orsa Conall.

" Thà," ors ise, " gura h-e do cheann a' chiad rud a théid nam thairgse a nochd."

" An dà, cha téid mo cheann-sa co dhiubh," orsa Conall.

" O, théid," ors ise, " chan eil fhios có a chumas as e. Ach bheil duine sam bith comhla riut ? " ors ise.

" Thà," ors esan, " beagan do ghillean mór agam."

" Faiceam a stoigh iad," ors ise.

Thug esan glaodh air an fhìdeig ; agus thàinig na gillean a stoigh ann an cabhaig agus eagal orra gun tàinig tuilleadh 's a chòir a neart ma choinneamh Chonaill.

" Tha sin ann," ors ise, nuair a nochd iad a stoigh, " agus cha b' èad na monarain. Ach, fhir ruaidh sin shìos," ors ise, " tha mo mhìle beannachd ort fhéin. Thug mi latha 's bliadhna comhla riut, agus cha do shuath bìdeag dhe d' chraiceann riamh rium mur do shuath cùl do dhùirn rium an àm bhith gearradh feòladh air a' bhòrd. Nist," ors i fhéin riutha, " tha adhbhar mo chompanaich anns a' bheinnsheilg. Tha mis' a seo chionn latha 's bliadhna agus 's e a nochd oidhche mo bhainnseadh—cha robh agam ri dhol na b' fhaide. Chan eil fear dhe na gillean móra th' an a seo nach tug mise suas ri bliadhna comhla ris agus mi daonnan cur dàil bliadhna 's a' bhainis agus anns a' phòsadh ; agus mun tigeadh ceann na bliadhna, bha mi air mo thoirt as a sin aig fear eile. Agus tha mi glé thoilichte," ors ise ri Conall, " gun tàini' tus' an diugh on as e a nochd oidhche mo bhainnseadh."

Dh' éirich i agus chuir i biadh chon a' bhùird dhaibh.

Thòisich a seo dorchadas air tighean air an toigh, cathraichean a' bualadh a chéile, saithichean a' gearradh leum air a' bhòrd. Dh' fhoighneachd Conall gu dé bu sgial dha 'n ùbraid a bha seo.

" Seo," ors ise, " nuair a tha Macan Beag na Sorcha tighean man cuairt anns a' bheinn sheilg go tighean dhachaidh."

Dh' éirich Brodraidh, Mac Rìgh an Domhain Mhóir, o 'n bhòrd. Dh' fhalbh e ga choinneachadh agus thug e dhachaidh e ceangailt air a ghualainn.

An ceann treiseadh a sin, thàinig an ath dhorchadas air an toigh. Thòisich cathraichean air leum thall 's a bhos, saithichean a' leum air a' bhòrd. Dh' fhoighneachd Conall gu dé bu sgial dha seo.

" Seo," ors ise, " nuair a tha Macan Midheanach na Sorcha tighean ma chuairt anns a' bheinn sheilg go tighean dhachaidh.

Dh' éirich Brodraidh, Mac Rìgh an Domhain Mhóir, a mach agus ghabh e na choinneamh. Thug e leis dhachaidh e ceangailte na phocan air a ghualainn.

An ceann treiseadh a sin a rithist, thòisich an ath dhorchadas agus bha an ùbraid feadh an taighe na bu mhutha. Dh' fhoighneachd Conall gu dé sgialt a bh' aige seo an dràsd.

56

" O," ors ise, " seo nuair a tha adhbhar mo chompanaich a' tighean man cuairt anns a' bheinn sheilg go tighean dhachaidh."

" Mach sibh, mach sibh, 'illean," orsa Conall, " agus mi fhìn comhla ribh, agus coinnicheamaid e."

Nuair a choinnich iad e, " Och, och," orsa Macan Mór na Sorcha, " thugaibh cothrom gleac dhomh."

" Gu dé an cothrom gleac a bhiodh tu 'g iarraidh ? " ors an Duanach O Drao.

" Bhitheadh," ors esan, " a dhol a charachd, agus am fear a bu treasa bhiodh ann an carachd am boireannach a bhith aige."

" Nam bu bhaoghal dhu'sa anns gach ciaoird, cha b' e sin ciaoird a dh' iarradh tu," ors an Duanach O Drao, " ach gheobh thu sin."

Rug e fhéin agus Conall air a chéile, ach cha do sheas e aon char do Chonall nuair a bha e na shìneadh aige.

" Och, och," orsa Maca Mór na Sorcha, " thugaibh cothrom gleac an dàrna h-uair dhomh."

" Gu dé an cothrom gleac a bhiodh tu 'g iarraidh ? " ors an Duanach O Drao.

" Bhitheadh," ors esan, " a dhol a ruith, agus am fear bu luaithe bhiodh ann an ruith am boireannach a bhith aige."

" Nam bu bhaoghal dhu'sa anns gach ciaoird, cha b' e sin ciaoird a dh' iarradh tu," ors an Duanach O Drao, " ach gheobh thu sin."

Dh' fhalbh iad a ruith, e fhéin agus Conall. Agus bha Conall air ais mun a ràinig esan leitheach rathaid.

" Nist," orsa Macan Mór na Sorcha ri Conall, " biodh a nist am boireannach agad fhéin—'s tu as fheàrr as airidh oirre. Agus chan eil sian a chruinnich mise o chionn latha 's bliadhna air son mo bhainnseadh fhìn nach eil mi deònach a nist a chosg ri bainis a dhianamh dhu'sa nochd."

Chaidh Conall agus am boireannach a phòsadh an oidhche sin agus bainis mhór a dhianamh dhaibh cuideachd

Nuair a bha gach sian seachad, " Nach téid sìbhse nist," orsa Conall, " gam fhaicean sa dhachaidh go ruig Éirinn ? "

" O, théid, gu dearbh," ors a chuile fear riamh.

Thog iad orra agus dh' fhalbh iad le deagh bhàta go ruig Eirinn. Ach a chuile fear dhe na gillean móra bha comhla ri Conall, mar a rachadh iad air tìr chon a' chidhe, bha bodach beag an a sin agus bata beag aige agus cha robh fear a rachadh go tìr nach robh e marbhadh, gos an robh aig Conall ach e fhéin 's a' bhean. Thuig Conall math gu leòr nach b' e neart dòigheil bh' anns a' bhodach a chuir as dha na bh' aige do ghillean mór' idir agus, ciod a rachadh e fhéin air tìr, gun éireadh a leithid eile dha. Ach smaointich e air a sheanair, agus bha e na sheasamh ri a ghualainn.

" Seadh, a Chonaill," ors a sheanair ris, " fhuair thu siod 's cha b' ann gun srì. Gu dé a nist tha dhìth ort an dràsd ? "

Dh' innis Conall dhà, facal air an fhacal, mar a dh' éirich dha na gillean móra bha comhla ris, mar a mharbh am bodach beag a bh' air a' chidhe a chuile fear aca.

" O, seadh," ors a sheanair, " 's ann le draodhachd a mharbhadh a chuile gin dhiubh sin, agus tha cailleach dhraodhachd anns a' bhad

57

choilleadh ud shuas agus i snìomh cuidheall dhraodhachd. Fhad 's a bhios i snìomh na cuidhleadh, chan eil air an t-saoghal na mharbhas am bodach air a' chidhe.

Ach tha iad ag ràdhtinn gur ann air sail dharaich a shuidhicheadh Eirinn ; nan rachadh againn air ceann na sail fhaotainn agus a caitheamh fairis air ar gualainn, bhiodh car do dh' Eirinn agus bhiodh a' chailleach 's am bodach marbh."

Dh' fhiach iad suas taobh a' chladaich leis a' bhàta, Conall agus a sheanair. Dh' fhiach a sheanair an sin fiach am faigheadh e ceann na sail agus fhuair e i.

"Siuthad," ors esan ri Conall, "fiach a nist an tog thu i."

Dh' fhiach Conall agus cha toireadh e gluasad oirre.

Rug a sin a sheanair oirre agus, a' chiad spìonadh a thug e oirre, thog e an ceann aice cho àrd ri a ghlùin agus, an ath spìonadh, thog e a ceann cho àrd ri dhuilleig agus, leis an treas spìonadh a thug e oirre, chuir e seachad air a ghualainn i, agus bha car do dh' Eirinn. Chaidh iad an sin go tìr.

Bha am bodach beag marbh air a' chidhe. Dh' fhalbh iad suas dha 'n bhad choilleadh far an robh a' chailleach dhraodhachd, agus cha robh sian ann ach torradan do luathaidh léith far an robh i. An sin thathbheothaich a sheanair dha a chuile gin dhe na gillean móra chaidh a mharbhadh air a' chidhe.

"Nist," ors a sheanair ris, "chan eil agad ri mis' fhaicean go bràth tuilleadh." Agus chaidh e as an t-sealladh.

An sin 's ann a chuir Conall roimhe gu rachadh e fhéin agus na gillean móra a bh' aige a dh' fhaicean cia mar a bha dol dha 'n fheadhainn a chaidh dha 'n bhlàr agus gum fàgadh iad an Duanach O Drao a' gleidheadh a' bhoireannaich.

Dh' fhalbh iad. Nuair a ràinig iad, ghlac iad an Turcach Mór agus bhrist iad an coid anns an robh e ann an seachd àiteachan. Thug iad mionnan agus daor fhreiteach air, air son a bheò fhaighean leis, nach iarradh e stoigh dha 'n Chrìosdachd go bràth tuilleadh, agus e bhith tilleadh dhachaidh.

Fhuair a chuile duine an uair sain brath gu robh an t-sìth air a h-éibheach agus gur e mac le Rìgh Eireann a rinn an t-euchd, a ghlac an Turcach Mór agus a thill dhachaidh e.

Ma fhuair gach duine brath, fhuair Rìgh Eireann. Chaidh innse dha gur e mac dha a rinn an t-euchd.

"Dà," orsa Rìgh Eireann, "tha mo chuid mac sa comhla rium fhìn a seo ann an ospadal ach fear aois chóig bliadhna diag a dh' fhàg mi aig an toigh."

Ma thà, ce b' e sin am fear a bh' ann, 's e mac le Rìgh Eireann a rinn an t-euchd.

Thill Conall dhachaidh, e fhéin 's a chuid gillean móra. Ach nuair a ràinig iad, cha robh sgial air an Duanach O Drao no air a' bhoireannach.

Dh' fhalbh iad air an tòir, agus 's ann ann an Teillsgeir nan Cuiseag a chaidh am faotainn le chéile.

Chaidh bainis agus mór phòsadh a dhianamh do Chonall agus do dh' Athan Uchdalach, Nighean Rìgh Chóigeamh Laighean, a rithist ann an Eirinn. Agus dhealaich mise riutha.

SGIALACHD AN TAURAISGEIL MHOIR

Chuala mise siod a bh' ann—Rìgh Eireann. Agus mar a bha
Rìgh Eireann ann, phòs e, agus rugadh mac dha. Chuireadh a sgoil
e, agus thugadh sgoil agus ionnsachadh dha cho math 's a gheobhadh
mac rìgh no ridire ann an àite sam bith.
Nuair a thàinig e dhachaidh ga ionnsaigh agus an dìol do sgoil 's
do dh' ionnsachadh aige, thòisich e air dhol dha 'n bheinn sheilg.
Latha dhe na lathaichean, thachair marcraiche fàlairidh duinne
ris agus boireannach aige air a chùlaibh anns an dìollaid. Chuir iad
fàilt' air a chéile, agus dh' fhoighneachd esan do Mhac Rìgh Eireann
am biodh e deònach cluichd a chur air an tàileasg comhla ris. Thuirt
Mac Rìgh Eireann gum bitheadh, agus thòisich iad ri cluichd.
Nuair a thàinig àm sguir, bha cluichd aig Mac Rìgh Eireann air.
" Tog dhìom," ors esan, " buaidh do chluichdeadh."
" Ma tà, chan iarr mi fhìn do bhuaidh chluichdeadh ort," orsa Mac
Rìgh Eireann, " ach am boireannach sin a bh' agad or o chùlaibh."
" Ma thà," ors am fear eile, " chan eil dà sheud mhic rìgh no
ridire 's an domhan gu léir as fheàrr na i fhéin agus an fhàlairidh,
ach on as i buaidh do chluichde sa, gheobh thu i. Ach coinnich mis'
an a seo aig aon uair diag a màireach."
Dh' fhalbh Mac Rìgh Eireann dhachaidh, e fhéin 's am boireannach.
Agus cha robh moit ann ach a' mhoit a bh' air athair nuair a ràinig
a mhac le a leithid sin do bhoireannach ciatach.
Làirne mhàireach, thog esan air go falbh.
" Nist," ors am boireannach ris, " na biodh cabhag sam bith ort,"
ors i fhéin, " a chionn bidh thu tràth gu leòr air a' chnocan air an
robh sibh an dé mun tig fear na fàlairidh. Bidh cluichd agad air ann
am bial na h-oichche cuideachd, agus tha mi cinnteach gur e an
fhàlairidh a dh' iarras tu. Tòisichidh esan ri moladh na fàlairidh agus
aig an aon am bidh e fuasgladh an ubhail th' air ceann na sréineadh.
Abair thus ris, masa lea's' an fhàlairidh, gura leat an t-ubhal 's an
t-srian 's a chuile sian mar a sheòlas i. Chionn, ma gheobh esan an
t-ubhal a thoirt bharr na sréineadh, cha bhi aige ach an t-ubhal a
chrathadh agus bidh an fhàlairidh aig' air ais."
An sin, dh' fhalbh e dha 'n bheinn sheilg. Bha e tacan a' feitheamh
mun tàinig fear na fàlairidh. Thàinig e an sin, agus thòisich iad air
imirt air an tàileasg. Agus feasgar an latha, bha cluichd aig Mac Rìgh
Eireann air.
" Tog dhìom," ors esan, " buaidh do chluichdeadh."
" Ma tà," orsa Mac Rìgh Eireann, " chan iarr mi fhìn do bhuaidh
chluichdeadh ort ach an fhàlairidh sin a th' agad."
" Ma tà," ors esan ris, " chan eil dà sheud mhic rìgh no ridire 's
an domhan gu léir as fheàrr na i fhéin 's am boireannach, ach on as

i buaidh do chluichde sa, gheobh thu i,''—agus e aig an aon àm a' fuasgladh an ubhail a bh' aig ceann na sréineadh.

" Masa lioms' an fhàlairidh," orsa Mac Rìgh Eireann, " 's liom an t-ubhal 's an t-srian 's a chuile sian mar a sheòlas i."

" Thalla, thalla," ors am fear eile, " beannachd dhut fhéin agus mollachd do bhial t' ionnsaiche. Ach coinnich mis' an a seo a màireach aig aon uair diag."

Dh' fhalbh Mac Rìgh Eireann dhachaidh agus an fhàlairidh aige ; agus cha robh toileachadh riamh air an Rìgh gos a nochd, nuair a chunnaic e a mhac a' dol dhachaidh le a leithid seo do dh' fhàlairidh, agus ciod a bha e fhéin na rìgh cha robh a leithid na stàbla.

An sin air làirne mhàireach, thog Mac Rìgh Eireann air go falbh dha 'n bheinn sheilg.

" Nist," ors am boireannach ris, " bidh esan romhad an diugh agus bidh e na shuidhe anns a' cheart bhad anns an robh thusa bho chionn dà latha. Bidh cluichd aige ort cuideachd ann am bial na h-oichcheadh agus tha mi cinnteach nach e mise na an fhàlairidh a dh' iarras e ach gur e na geasaibh a bhios ann. Ach mas miosa na geasaibh a chuireas esan or'sa, gu ma sheachd miosa na sin an fheadhainn a chuireas tus' airsan."

Dh' fhalbh Mac Rìgh Eireann dha 'n bheinn sheilg. Thug e leis an fhàlairidh, agus nuair a ràinig e an cnocan air an robh iad o chionn dà latha, bha am fear eil' ann roimhe agus e na shuidhe anns an dearbh bhad anns an robh Mac Rìgh Eireann a' cluichd o chionn dà latha.

" Eirich as m' àite," ors esan.

" Chan éirich," ors am fear eile, " chionn cha robh chòir agads' air bho chionn dà latha nach eil agams' an diugh air."

Thòisich iad ri cluichd, agus ann am bial na h-oichcheadh bha cluichd aig' air Mac Rìgh Eireann.

" Tog dhìom," orsa Mac Rìgh Eireann, " buaidh do chluichdeadh."

" Nì mise sin," ors am fear eile, " ach tha mi gad chur fo gheasaibh 's fo chrosaibh 's fo naoi buaraichean mnatha sìthle siubhla seachrain an laochan beag geàrr donn as miot' agus as mi-threòiriche na thu fhéin a thoirt do chìnn 's do chluais 's do chaitheamh beatha dhìot ma nì thu stad choiseadh no chìnn gos am faigh thu mach cia mar a chaidh an Tuaraisgeal Mór go bàs."

" An Tuaraisgeal Mór go bàs ! " orsa Mac Rìgh Eireann.

" Seadh," ors am fear eile.

" Chuala mis' aig m' athair," orsa Mac Rìgh Eireann, " agus chuala m' athair aig mo sheanair gu robh a leithid sin a dhuin' ann, ach an còrr brath chan eil agamsa. Ach tha mise gad chur sa fo gheasaibh 's fo chrosaibh 's fo naoi buaraichean mnatha sìthle siubhla seachrain an laochan beag geàrr donn as miot' agus as mi-threòiriche na thu fhéin a thoirt do chìnn 's do chluais 's do chaitheamh beatha dhìot ma shìneas tu bhuat a' chas a tha crupte riut no ma chrupas tu riut a' chas a tha sìnte bhuat no ma shìneas tu bhuat an làmh a tha crupte riut no ma chrupas tu riut an làmh a tha sìnte bhuat, agus t' aghaidh anns gach dìle agus anns gach sìn a thig as an adhar anns a' bhad

anns am bheil thu, gos an till mise bharr na cuairteadh a th' an a sin
—ma thilleas mì."

" O," ors esan, " tog dhìom do gheasaibh agus togaidh mi dhìot
iad."

" Cha tog agus cha leag," orsa Mac Rìgh Eireann, " ach mar
siod." Agus leum e air muin na fàlairidh agus dh' fhalbh e dhachaidh.
Nuair a chaidh e stoigh, leig e osna as.

" Osna mhic rìgh fo gheasaibh," ors am boireannach ris.

" O," ors esan, " cha bu gheasaibh riamh gos a nochd e."

" Gu dé," ors ise, " na geasaibh a chuir e ort ? "
Dh' innis e.

" Seadh," ors ise, " gu dé na geasaibh a chuir thu fhéin airsan ? "
Dh' innis e.

" Seadh," ors ise, " rinn thu glé mhath.
Làirne mhàireach, chuir Mac Rìgh Eireann air go falbh.

" Nist," ors am boireannach ris, " tha coiseachd latha 's bliadhna
romhad go toigh an Ridire Ghil, mo bhràthair sa. Ach leis an fhàlair-
idh bidh tu ann a nochd. Bidh coiseachd latha agus bliadhna agad
a rithist as a sin go toigh an Ridire Dhuinn, mo bhràthair sa. Ach
nì an fhàlairidh an t-astar ann an aon latha. Bidh coiseachd latha
's bliadhn' agad a rithist go toigh an Ridire Dhuibh, mo bhràthair sa.
Ach nì an fhàlairidh an t-astar ann an aon latha. Agus mura faigh
thu fios do cheann ghnothaich aig a h-aon dhiubh, ce 'r bith càit an
stiùir an Ridire Dubh thu, théid thu ann. Ach ce 'r bith cà am bi
thu, bidh an fhàlairidh ann comhla riut."

Dh' fhalbh e. An oichche sin, bha e aig toigh an Ridire Ghil.
Bhuail e bas ri crann nuair a ràinig e. Thàinig an dorsair brosgalach
sodalach so-bhialach sin a nuas agus dh' fhoighneachd e có siod ann.

" Tha mis' a seo," ors esan, " Mac Rìgh Eireann."

" Leig thu stoigh e," ors an Ridire Geal, " 's fhad' o bha cuid
latha agus dìd oidhch' agam a' feitheamh air ciod nach tàinig e riamh
ga chaitheamh ugam gos a nochd."

Thòisich esan air toirt a stoigh na fàlairidh.

" O," ors an dorsair, " ciod a fhuair thu fhéin cead tighean a
stoigh, cha d' fhuair t' fhàlairidh."

" Mura d' fhuair," ors esan, " bidh mi fhìn is m' fhàlairidh a
muigh."

" Dé siod a tha e 'g ràdhtha ? " ors an Ridire Geal.

" Tha e 'g ràdh," ors an dorsair, " mura faigh fhàlairidh cead
tighean a stoigh, gum bi e fhéin is fhàlairidh a muigh."

" Leig thu a stoigh e fhéin 's an fhàlairidh," ors an Ridire Geal.

Ghabh e stoigh, e fhéin 's an fhàlairidh, agus cheangail e ri cas a'
bhùird i.

Bha iad a' bruidhean 's a' seanchas 's a' cur seachad na h-oidhche,
agus dh' innis esan a seo a cheann gnothaich.

" Chuala mis' aig m' athair agus chuala m' athair aig mo sheanair
gu robh a leithid sin a dhuin' ann," ors an Ridire Geal, " agus an
còrr brath chan eil agamsa. Ach tha coiseachd latha 's bliadhn' agad
as a seo go toigh an Ridire Dhuinn, mo bhràthair sa, ach leis an
fhalairidh a th' agad an a seo, bidh tu ann an athoidhch."

Làirne mhàireach, fhuair Mac Rìgh Eireann e fhéin air dòigh agus
dh' fhalbh e leis an fhàlairidh. An oidhche sin, bha e aig toigh an
Ridire Dhuinn. Bhuail e bas ri crann, agus thàinig an dorsair brosgal-
ach sodalach so-bhialach sin a nuas agus dh' fhoidhneachd e có siod
ann.

" Tha mis' a seo," ors esan, " Mac Rìgh Eireann."

" Leig thu a stoigh e," ors an Ridire Donn, " 's fhad' o bha cuid
latha agus dìd oidhch' agam a' feitheamh air, ciod nach tàinig e riamh
ga chaitheamh ugam gos a nochd."

Thòisich esan air toirt a stoigh na fàlairidh.

" O," ors an dorsair, " ciod a fhuair thu fhéin cead tighean a
stoigh, cha d' fhuair t' fhàlairidh."

" Mura d' fhuair," ors esan, " bidh mi fhìn agus m' fhàlairidh a
muigh."

" Dé siod tha e 'g ràdhtinn ? " ors an Ridire Donn.

" Tha e 'g ràdhtinn," ors an dorsair, " mura faigh fhàlairidh cead
tighean a stoigh, gum bi e fhéin 's fhàlairidh a muigh."

" Leig thu stoigh e fhéin 's an fhàlairidh," ors an Ridire Donn.

Ghabh e stoigh, e fhéin 's an fhàlairidh, agus cheangail e ri cas a'
bhùird i. Thòisich bruidhean is seanchas, agus thàinig e aig Mac
Rìgh Êireann air ceann a sheud 's a shiubhail innse. Cha robh fios
sam bith aig an Ridire Dhonn ma dheighean.

" Ach," ors e fhéin ris, " tha coiseachd latha 's bliadhna romhad
go toigh an Ridire Dhuibh, mo bhràthair sa, agus 's e as sine na gin
againn. Ach leis an fhàlairidh sin a th' agad bidh tu ann an athoidhch.
Agus mura bi fios sam bith aige fhéin ma dheighean do cheann turuis,
ce 'r bith àit' an stiùir e thu, théid thu ann."

Làirne mhàireach, dh' fhalbh Mac Rìgh Eireann agus ann am bial
na h-oidhche ràinig e toigh an Ridire Dhuibh. Bhuail e bas ri crann,
agus thàinig an dorsair brosgalach sodalach so-bhialach sin a nuas
agus dh' fhoighneachd e có siod ann.

" Tha mis," ors esan, " an a seo—Mac Rìgh Eireann."

" Leigh thu a stoigh e," ors an Ridire Dubh, " 's fhad' o bha cuid
latha agus dìd oidhch' agam a' feitheamh air, ciod nach tàinig e riamh
ga chaitheamh ugam gos a nochd."

Thòisich esan ri toirt a stoigh na fàlairidh.

" O," ors an dorsair, " ciod a fhuair thu fhéin cead tighean a stoigh,
cha d' fhuair t' fhàlairidh."

" Mura d' fhuair," ors esan, " bidh mi fhìn 's m' fhàlairidh a
muigh."

" Dé siod tha e 'g ràdhtha ? " ors an Ridire Dubh.

" Thà," ors an dorsair, " mura faigh fhàlairidh cead tighean a
stoigh, gum bi e fhéin 's fhàlairidh a muigh."

" Leig thu a stoigh le chéil' iad," ors an Ridire Dubh.

Ghabh e stoigh, e fhéin 's an fhàlairidh, agus cheangail e ri cas a'
bhùird i. Chaidh biadh is deoch a chur air a bhialaibh fhéin 's an
Ridire agus, an déidh sin, thòisich bruidhean is seanchas. Ach cha
robh an Ridire Dubh a' toirt a shùla bharr na fàlairidh.

" Gu dé," orsa Mac Rìgh Eireann ris, " do dhùr bheachdnachadh
air an fhàlairidh."

"Thà," ors an Ridire Dubh, "ma shiubhail e an domhan no an saoghal, gura h-e sin a' cheart fhàlairidh a bhuinnig an Tuaraisgeal Òg, Mac an Tuaraisgeil Mhóir, ormsa. Agus cha b' e an fhàlairidh uile gu léir bha mi gearain ach m' aona phiuthar. Agus gu dearbhtha, mas ann agad fhéin a tha iad le chéile, 's tu adhbhar cleamhn' a b' fheàrr liom a bhith agam na fear nach biodh fhios am cà rachainn ga tòrachd air."

"Ma tà," orsa Mac Rìgh Eireann, "'s ann agams' a thà." Agus dh' innis e dha 'n Ridire, facal air an fhacal, ma 'n fhear a thachair air anns a' bheinn sheilg—mar a chuir e na geasaibh air.

"Ma tà," ors an Ridire Dubh, "ma tha duin' air an t-saoghal aig a bheil fios air, 's e seann Rìgh na Gréigeadh, a chionn tha e aois mhór agus chan urrainn nach eil rud air choreigin aige ri innse mum fàg e an saoghal. Tha e an a siod aig ogha dha fhéin a tha na rìgh an dràsd ànn an creithil ga chumail mar gum biodh pàisd. Agus nuair a bha cogadh eadar m' athair sa agus seann Rìgh na Gréigeadh, leumadh an fhàlairidh sin Abhainn na Gréigeadh a chasa tiorma, agus chan eil fhios am nach dianadh i dhu'sa fhathast e."

Air làirne mhàireach, nuair a bha Mac Rìgh Eireann dianamh deas go falbh, "Nist," ors an Ridire Dubh ris, "tha cìr òir agus cìr airgid an a seo, agus bheir thu leat iad,—agus trì stòpan fìon agus trì muilnean cruineachd. Agus nuair a ruigeas tu Abhainn na Gréigeadh, cìridh tu an fhàlairidh an aghaidh a' chuilg leis a' chìr airgid agus leis a' chalg leis a' chìr òir. Agus bheir thu stòp dhe 'n fhìon agus muileann dhe 'n chruineachd dhith, agus leigidh tu a dh' ionnsaigh na h-aibhneadh i. Mura dian i an gnothach air an turus sin, bheir thu air ais i, agus cìridh tu an dàrna h-uair i an aghaidh a' chuilg leis a' chìr airgid agus leis a' chalg leis a' chìr òir, agus bheir thu an dàrna stòp dhe 'n fhìon agus an dàrna muileann dhe 'n chruineachd dhith, agus leigidh tu a dh' ionnsaigh na h-aibhneadh i. Mura dian i an gnothach air an turus sin, bheir thu air ais i, agus cìridh tu an treas uair i an aghaidh a' chuilg leis a' chìr airgid agus leis a' chalg leis a' chìr òir, bheir thu an stòp ma dheireadh dhe 'n fhìon agus am muileann ma dheireadh dhe 'n chruineachd dhith, agus mura dian i an gnothach air an turus sin, cha bhi comas air."

Dh' fhalbh Mac Rìgh Eireann. Nuair a ràinig e Abhainn na Gréigeadh, cha dianadh e mach duine seach brùid air an taobh eile dhith leis an liad a bh' innte. Agus 's ann a ghabh e oillt. Ach chìr e an fhàlairidh an aghaidh a' chuilg leis a' chìr airgid agus leis a' chalg leis a' chìr òir, thug e stòp dhe 'n fhìon agus muileann dhe 'n chruineachd dhith agus leig e a dh' ionnsaigh na h-aibhneadh i. Chaidh i mach go muir na glùineadh, agus thug e air ais i.

Chìr e an darna h-uair i an aghaidh a' chuilg leis a' chìr airgid agus leis a' chalg leis a' chìr òir, thug e an darna stòp dhe 'n fhìon agus an darna muileann dhe 'n chruineachd dhith agus leig e a dh' ionnsaigh na h-aibhneadh i. Chaidh i mach go snàmh a taoibh, agus thug e air ais i.

Chìr e an treas uair i an aghaidh a' chuilg leis a' chìr airgid agus leis a' chalg leis a' chìr òir, thug e an stòp ma dheireadh dhe 'n fhìon agus am muileann ma dheireadh dhe 'n chruineachd dhith, leum e ann an glac na dìollaid agus, air an turus sin, leum i Abhainn na Gréigeadh a chasa tiorma.

Ach có bha 'g amharc a mach 's an àm ach Rìgh Òg na Gréigeadh. Chunnaic e an fhàlairidh tighean tarsainn na h-aibhneadh agus dh' fhalbh e stoigh far an robh a sheanair.

" O, dhuin'," ors esan, " có beothach cheithir chas a b' iongant-aiche lìbhse mis' fhaicean a' leum Abhainn na Gréigeadh ? "

" O, chan eil fhios am," ors a sheanair, " ach nuair a bha cogadh eadar mise agus athair nan ridirean ud thall, bha fàlairidh aca agus leumadh i Abhainn na Gréigeadh a chasa tiorma, agus chan fhaca mise beothach cheithir chas riamh ga leum ach i sin."

" O chiall, a dhuine," ors an Rìgh, " nach e a reiceadh rium fhìn i ? "

" O, ma nì òr no airgead e," ors a sheanair, " nach fhurasda dhu'sa ga ceannach ? "

Dh' fhalbh Rìgh Òg na Gréigeadh a mach agus chuir e fàilt air Mac Rìgh Eireann. Dh' fhoighneachd e dheth an creiceadh e an fhàlairidh. Thuirt Mac Rìgh Eireann gun creiceadh.

" 'S gu dé a bhios tu 'g iarraidh oirre ? " ors e fhéin.

" Cha bhi mi 'g iarraidh òir no airgid," orsa Mac Rìgh Eireann.

" 'S cuid eile bhios tu 'g iarraidh oirre ? " orsa Rìgh Òg na Gréigeadh.

" Bithidh," ors esan, " innse dhomhsa cia mar a chaidh an Tuaraisgeal Mór a chur go bàs."

" An Tuaraisgeal Mór go bàs ! " orsa Rìgh Òg na Gréigeadh, " chuala mis' aig m' athair agus chuala m' athair aig mo sheanair gu robh a leithid sin a dhuin' ann, ach an còrr brath chan eil agamsa."

" Ma tà, tha fios aig do sheanair air," orsa Mac Rìgh Eireann, " agus falbh thus' a stoigh far a bheil e agus foighneachd dheth."

Dh' fhalbh Rìgh Òg na Gréigeadh a stoigh.

" Seadh," ors a sheanair ris, " an creic e an fhàlairidh ? "

" Creicidh," ors an Rìgh.

" 'S gu dé bhios e 'g iarraidh oirre ? " ors a sheanair.

" Cha bhi e 'g iarraidh òir no airgid oirre," ors am fear eile, " ach innse dha cia mar a chaidh an Tuaraisgeal Mór go bàs."

" Agus có aige tha fios air a sin ? " ors a sheanair.

" Tha e 'g ràdh gu bheil agaibhse," ors an Rìgh.

" O, chan eil," ors a sheanair, " ach gun cuala mi gu robh a leithid sin a dhuin' ann."

Dh' fhalbh an Rìgh Òg a mach agus dh' innis e do Mhac Rìgh Eireann nach robh fios aig a sheanair ma dheighean.

" Falbh thus' a stoigh fhathast," orsa Mac Rìgh Eireann, " agus rùisg do chlaidheamh agus abair ris gu bheil thu o chionn a leithid seo a dh' ùine ga anacladh mar gum b' e pàisde agus gum bu shuarach an rud dha ciod a dh' innseadh e an naidheachd a bha an duin' eile 'g iarraidh agus gum faigheadh tusa an fhàlairidh air a shon chionn 's gu robh thu air a leithid a thlachd a ghabhail dhith."

Dh' fhalbh an Rìgh a stoigh. Rùisg e a chlaidheamh agus thubhairt e ri a sheanair gu robh esan fada gu leòr a nist ga anacladh a seo agus,

64

mura h-innseadh e an naidheachd a bha am fear eile 'g iarraidh, gum biodh an ceann dheth an ceartair.

" O, forsadh or o làimh," ors a sheanair, " ciod as e an rud as cruaidhe lioms' a rinn mi riamh, nì mi e. Agus theirig thusa mach agus gabh cùram na fàlairidh agus cuir an duine sin a stoigh far a bheil mise."

Nist, fhad 's a bha Rìgh Òg na Gréigeadh a stoigh, dh' innis an fhàlairidh do Mhac Rìgh Eireann gun dianadh e air an turus seo an gnothach air a sheanair.

" Ach fuasgail thus'," ors ise, " an t-ubhal a th' air ceann na sréineadh agus gléidh nad phòc' i agus, ce 'r bith àit' am bi thu, cha bhi agad ach an t-ubhal a chrathadh, agus bidh mis' agad. Ach," ors i fhéin, " na dian sian a dh' iarras sean Rìgh na Gréigeadh ort."

Thàinig am fear eile mach agus dh' iarr e air Mac Rìgh Eireann a dhol a stoigh far a robh a sheanair agus gun innseadh e dha an naidheachd a bha a dhìth air. Ghabh e fhéin an fhàlairidh air shréin.

Bha a nist seann Rìgh na Gréigeadh dall agus, nuair a chaidh Mac Rìgh Eireann a stoigh, dh' iarr e air esan a thogail leis as a seo. Thog e leis air a ghualainn e.

" Am faic thu nist," orsa seann Rìgh na Gréigeadh, " rathad mór ìseal 's rathad mór àrd romhad ? "

" Chì," orsa Mac Rìgh Eireann.

" Gabh liomsa an rathad mór ìseal mun tuit thu liom air an rathad mhór àrd."

Ghabh Mac Rìgh Eireann an rathad mór àrd leis.

" Cha chreid mi fhìn," ors esan, " nach e an rathad mór àrd a tha thu gabhail liom."

" Nam b' onair sin," orsa Mac Rìgh Eireann, " nach ann dhuibhse bu chòir a thoirt ? "

" O, 's fhìor sin," ors esan, " mac rath thusa agus mac mìorath mise. Am faic thu nist romhad," ors esan, " drochaid agus bial àtha ? "

" Chì," orsa Mac Rìgh Eireann.

" Gabh liomsa, ma tà, an drochaid mun tuit thu liom air a' bhial àtha."

Dh' fhalbh Mac Rìgh Eireann agus ghabh e am bial àtha leis.

" Cha chreid mi fhìn," ors esan, " nach e am bial àtha tha thu gabhail."

" Nam b' onair sin," orsa Mac Rìgh Eireann, " nach ann dhuibhse bu chòir a thoirt ? "

" O, 's fhìor sin," ors esan, " mac rath thusa agus mac mìorath mise. Am faic thu nist cnoc gorm romhad agus smùid as ? "

" Chì," orsa Mac Rìgh Eireann.

" Gabh liomsa an a shin agus leig as ann mi. Am faic thu nist," ors esan ri Mac Rìgh Eireann, " tom luachrach ? "

" Chì," orsa Mac Rìgh Eireann.

" Thoir dhomhs' ann am dhòrn e," ors esan.

Thug seann Rìgh na Gréigeadh an spìonadh ud air, agus thàinig e ige as na riamhaichean. Co as a bha e fàs ach a bial coire agus an coire air sorchan gu h-ìseal a' goil gu làidir. Leum steall dhe 'n uisge theth as a' choire agus bhuail e ma 'n dà shùil air seann Rìgh na Gréigeadh—'s bha a fhradharc aige cho math 's a bha e riamh.

"Nist, a Mhic Rìgh Eireann," ors esan, "'s e seo an sgial as muladaiche a chuala cluas duine riamh a tha mise bràth innse dhu'sa.

Bha mis' agus mo dhithis bhràithrean nar triùir chloinne bigeadh aig ar n-athair nuair a dh' eug ar màthair òg. Agus gu dé ach a smaointich ar n-athair air pòsadh a rithist. Thog e toigh dhuinne a muigh anns a' bheinn sheilg. 'S e Grianan Àlainn an Aona Chroinn a bha mar ainm air. Chuir e sinn ann agus bhiodh e fhéin a chuile latha a' dol 'n a' bheinn sheilg agus a' tadhal oirnn air fhalbh 's air a thilleadh. Phòs e a seo agus cha do leig e fhaicean dha ar muime gu robh ar leithid ne idir aige.

Ach latha dhe na lathaichean, có a thàinig dhachaidh dha ar muime ach gum b' e an Eachlair Urlair.

'A dhonasag agus a ghòrag,' ors ise, 'tha thusa smaointean gur e do mhac fhéin a bhios fhathast na oighre an a seo ach 's fhad' o bha oighreachan seo air am breith reimhe. Tha triùir chloinneadh aig an fhear a tha pòsd' agad. Tha iad aige a muigh 's a' bheinn sheilg ann an Grianan Àlainn an Aona Chroinn agus toiseach gach seilgeadh agus gach sìdhneadh aca agus fhìor dheireadh agadsa.'

'Bheil thu smaointean,' orsa mo mhuime, 'gum biodh sin aige gun innse dhomh fhìn?'

'Leig thus' ort,' ors an Eachlair Urlair, 'gu bheil thu bochd agus theirig go laighe leapadh mun tig e dhachaidh. Nuair a théid e dh' fhoighneachd cia mar a tha thu no gu dé tha cur ort, abair gur mór sin na bheil a' cur or'sa—e fhéin a' cumail a thriùir mac air falbh o 'n toigh agus e comhla riutha a chuile latha agus ga fàgail se na h-ònrachd leatha fhéin.'

'S ann mar seo a bhà. Dh' fhalbh an Eachlair Urlair, agus chaidh mo mhuime go laighe leapadh.

Nuair a thàinig m' athair dhachaidh, chaidh e ga foighneachd agus dh' fhoighneachd e dhith gu dé bha cur oirre.

'O, 's mór sin,' ors is fhéin, 'tha thu fhéin a' cumail do thriùir mac a muigh ann an Grianan Àlainn an Aona Chroinn gun fhiost dhomhsa. 'N ann a' smaointean a bha thu nach bithinn cho math dhaibh 's ciod a bhiodh iad liom fhìn?'

'Beannachd dhut fhéin agus mollachd do bhial t' ionnsaiche,' orsa m' athair rithe, 'mas e sin na bheil a' cur or'sa, bheir mise dhachaidh gad ionnsaigh iad.'

Thug ar n-athair dhachaidh sinn comhla ri ar muime. Agus ann an ùine gun bhith fada, thàinig an Eachlair Urlair dha 'n toigh, agus dh' fhoighneachd mo mhuime dhith gu dé bhiodh i 'g iarraidh air son cur as dhuinn fhìn. Thuirt an Eachlair Urlair nach biodh i 'g irraidh móran sam bith air son an gnìomh sin a dhianamh—gu foghnadh leatha na dhianadh a crogan dubh tiugh le min agus na dhianadh tana le ìm e agus na lìonadh ailleagan a dà chluaiseadh do chlòimh.

Dh' fhoighneachd mo mhuime dhith gu dé na dhianadh a crogan dubh tiugh le min.

'Dhianadh,' ors ise, 'na dhianadh seachd seisrichean each fad sheachd bliadhna.'

' 'S gu de na dhianadh tana le ìm e ? ' orsa mo mhuime.
' Dhianadh,' ors ise, ' na dhianadh seachd taighean chruidh a dh'
ìm fad sheachd bliadhna.'
' 'S gu dé na lìonadh ailleagan do dhà chluaiseadh do chlòimh ? '
orsa mo mhuime.
' Lìonadh,' ors ise, ' na dhianadh seachd taighean chaorach a chur
dhiubh fad sheachd bliadhna.'
' Tha e glé mhór,' orsa mo mhuime, ' ach 's suarach e seach cur as
dhaibhsan.'
Rug an Eachlair Urlair air slachdan draodhachd na làimh agus
bhuail i buille air gach fear againn dheth agus rinn i trì madacha
galladh dhinn, agus thug sinn ris a' bheinn.
Bha sinn a' marbhadh nan caorach aig ar n-athair agus gan ithe.
Bha sinn a' dianamh call mór agus a' cur diachainn air ar muime.
Chuir ise tòir oirnn a sin gos ar glacadh 's ar marbhadh cuideachd.
Ach bha sinn gar sàbhaladh gun ghlacadh.
Ach latha dhe na lathaichean thàinig an tòir cho teann oirnn agus
gum b' fheudar dhuinn cromadh sìos do sgealp creigeadh as cionn na
mara, agus cha robh dùil againn ri faighean as tuilleadh. Thòisich a
seo an t-acras oirnn ; bha e foghnachdainn dhuinn agus cha robh
rathad air biadh fhaotainn. Nist, ciod a bha sinne nar madacha
galladh fhéin bha tùr duine nar cridhe ; agus 's e an rud a rinn sinn—
chuir sinn a mach croinn fiach có am fear againn air an tigeadh an
crann gos a mharbhadh agus gun itheadh an dithis eil' e. Thuit
gura h-ann air an fhear a b' òig' a thuit an crann, agus mharbh sinn
e agus dh' ith mi fhìn 's mo bhràthair eil' e.
Ach cha b' fhada gos an robh mi fhìn cho dona leis an acras 's a
bha mi reimhe le cion a' bhithidh. Smaointich mi, on as mi bu shine,
gu robh mi beagan na bu treasa na mo bhràthair eile, agus mharbh
mi e, agus bha am fear sin agam dhomh fhìn. Ach ma dheireadh
theirig e dhomh.
Latha dhe na lathaichean, gu dé a chunnaic mi ach long a' dol
seachad, agus thòisich mi ri glaodhaich rithe leis an t-seòrsa ceileiridh
a bh' agam.
Nuair a chual an sgiobair mi, ' An dà,' ors esan, ' tha duine bochd
an a siod an éiginn, agus 's geasaibh dhe m' gheasaibh fhìn o m'
mhuim' altramais nach fhàg mi duine go bràth ann an éiginn agus
comas agam air a thoirt as.'
' An dà, tha sinn cinnteach,' orsa na seòladairean, ' nam b' ann
ma aon deagh bheairt a chuireadh ann e, gura h-fhad' o bhiodh e air
a thoirt as.'
' O, cha d' rinn e sian oirnn,' ors am màighistir, ' cuireadh sìbhse
mach am bàta fada agus thugaibh ugams' air bòrd an a seo e.'
Chunnaic mi fhìn a bhith cur a mach a' bhàta agus thòisich mi
air glaodhaich na b' fheàrr air chor 's gun dianadh iad dìreach orm.
Agus mar a b' fheàrr a bha iad a' tighean goirid dhomh, 's ann a b'
fheàrr a bha mise gam fhalach fhìn anns an sgealp creigeadh anns
an robh mi a chionn 's nach fhaiceadh iad gura h-e mo leithid sa a
bha glaodhaich riutha 's gun tilleadh iad gun mo thoirt air bòrd idir·
Ach nuair a bha am bàta dìreach aig bonn na creigeadh, dh' fhalbh

67

mise agus chaith mi mi fhìn sìos agus bhuail mi mi fhìn air ùrlar a'
bhàta. Rug fear air ràmh shìos 's rug fear air ràmh shuas gos an
t-ionchainn a chur asam. Thòisich mise ri mi fhìn a liùgadh cho math
's a ghabhadh dianamh. Agus dh' imir iad air ais am bàta a dh'
ionnsaigh na luingeadh.

Cho luath 's a ràini' sinn, leum mi fhìn air bòrd. Rug fear air
hanspeic shìos agus rug fear air hanspeic shuas gos an t-ionchiann a
chur asam fhìn. Ach dh' fhalbh mise agus liùg mi mi fhìn fo chleòc
a' mhàighistir.

'Leigibh leis,' ors am màighistir, 'a chionn 's e a th' ann peat'
a bh' aig duin' uasal. Agus falbhadh fear agaibhse sìos agus bheireadh
e nuas deireadh an fhìon agus deireadh a' chruineachd agus cuiridh mi
geall rìbh nach bean e dha.'

Thugadh a nuas sin gam ionnsaigh fhìn agus, ciod a bha mi gam
tholladh leis an acras, smaointich mi, nan gabhainn e, gur è a chùmte
rium tuilleadh fhad 's a bhithinn air bòrd; bhlais mi air agus thog
mi mo cheann agus choimhead mi air a' mhàighistir.

'Nach dubhairt mi rìbh,' ors am màighistir, 'gur e peat' a bh'
aig duin' uasal a bh' ann? Thugaibh a nuas a nist toiseach an fhìon
agus toiseach a' chruineachd fiach an gabh e e.'

Rinneadh sin, agus ghabh mi mo leòr dheth.

'Seall sibh sin,' ors am màighistir, 'nach math a dh' aithnich mi
fhìn gura h-ann aig duin' uasal a bha e reimhe?'

Ach dh' fhàs mi fhìn cho eòlach feadh na luingeadh 's nach robh
car a dhianadh na seòladairean nach dianainn. Dh' fhalbhainn leis
a siod 's leis a seo ann am bhial feadh na luingeadh agus bha mi ann
am mios mór aig a' mhàighistir.

Ach gu dé ach a chuala bràthair mo mhàthar gu robh mo leithid air
bòrd na luingeadh a bh' an a seo. 'S e an rud a rinn e—thàinig e far
an robh am màighistir agus cheannaich e mi fhìn bhuaidh agus thug
e leis dhachaidh mi.

Ach gu dé bha bràthair mo mhàthar ach air òg phòsadh, agus ann
an ùine gun a bhith fada bhiodh an t-àm aig a' mhnaoi aige tuisleadh.
Fhuair e dhachaidh triùir mhnathan glùineadh. Chaidh a seo bean
bràthair mo mhàthar a thuisleadh air leanabh gille.

A' chiad oidhche bha e aig na mnathan glùineadh, nuair a ghabh
muinntir an taighe ma thàmh, thàinig an ceòl a b' àille a chuala cluas
duine riamh ma chuairt an taighe, agus thuit na mnathan glùineadh
nan cadal. Thàinig làmh mhór a stoigh air an àirleas agus thug i
leatha mach am pàisde.

Nuair a dhùisg na mnathan glùineadh 's a dh' ionndrainn iad am
pàisde, 's e an rud a rinn iad—mharbh iad piseag chait a bha stoigh
agus shuath iad a fuil 's a gaorr ma m' bhial 's ma m' cheann fhìn; agus
chuir iad an ìre do bhràthair mo mhàthar gura mì a dh' ith am pàisde.

'An dà, laochain,' orsa bràthair mo mhàthar rium fhìn, 'bha dùil
am nach tu a dhianadh e, ach tha eagal orm gu feum mi cur as dhut.'

Ach thòisich mise ri mi fhìn a liùgadh 's ri mi fhìn a shuathadh
ris agus ri miodal agus ri coimhead air anns an aodann corra uair.

'Ciod a rinn thu na rinn thu orm,' orsa bràthair mo mhàthar,

' leigidh mi leat an turus sa gun fhiost an dian thu a leithid tuilleadh.'

Ach air an ath bhliadhna, bha bean bràthair mo mhàthar am bun a tuislidh a rithist, agus fhuair e dhachaidh an triùir mhnathan glùineadh.

Nuair a chaidh an darna taobh dhith 's a fhuair na mnathan glùineadh am pàisde, ghabh muinntir a taighe ma thàmh an oidhche sin, agus thàinig an ceòl a b' àille a chualas riamh ma chuairt an taighe. Thuit na mnathan glùineadh nan cadal, té thall 's té a bhos, agus thàinig an làmh mhór a stoigh air an àirleas agus thug i leatha mach am pàisde 's e 's na badain.

Nuair a dhùisg na mnathan glùineadh 's a bha iad gun sgial air a' phàisde, 's e a rinn iad—piseag chait a bha stoigh fhaotainn agus a marbhadh agus a fuil 's a gaorr a shuathadh ma m' bhial 's ma m' cheann fhìn. 'S nuair a dh' éirich bràthair mo mhàthar anns a' mhadainn, chuir iad an ire dha gura mi fhìn a dh' ith am pàisde.

Fhuair bràthair mo mhàthar gunna. 'An dà, laochain,' ors e fhéin, 'leig mi do cheumannan saora leat air an turus reimhe, ach tha eagal orm gu feum mi do mharbhadh air an turus seo a chionn thu bhith cumail air a' chron a dhianamh.'

Ach thòisich mise ri mi fhìn a liùgadh agus ri mi fhìn a shuathadh ris, agus cha dùraigeadh e dha mo mharbhadh.

'Chan eil dùil am,' orsa bràthair mo mhàthar, ' nach leig mi leat an turus seo fhathast, ach gabhaidh sinne dòigh eile dhut.'

Dh' fhalbh bràthair mo mhàthar an latha sin dha 'n cheàrdaich agus rinn e slabhraidh iarainn, agus chaidh mi fhìn a cheangal a stoigh leatha.

'Nist,' orsa bràthair mo mhàthar, ' cumaidh sin thu.'

Ach thòisich mi fhìn le m' fhiaclan air gearradh na slabhraidh. Cha robh latha nach robh mi toirt treis air a cagnadh fiach am biodh i geàrrt' agam mun rachadh bean bràthair mo mhàthar a thuisleadh a rithist. Ma dheireadh, gheàrr mi an t-slabhraidh, ach bha mi fuireach cho socair anns a' chùl anns an robh mi air eagal agus gum faicte gu na gheàrr mi an t-slabhraidh 's gu robh mi fuasgailte.

Ach a seo bha bean bràthair mo mhàthar ann am bun a tuislidh an treas uair, agus fhuair e dhachaidh an triùir mhnathan glùineadh gos a bhith frithealadh oirre.

Chaidh a tuisleadh air leanabh gille. Agus a' chiad oidhche bha am pàisd' aig na mnathan glùineadh 's a bha muinntir an taighe air gabhail ma thàmh, thàinig an ceòl a b' àille a chuala cluas duine riamh ma chuairt an taighe. Thuit na mnathan glùineadh nan cadal, agus thàinig an làmh mhór a stoigh air an àirleas. Gheàrr mi fhìn an dudar leum ud ga h-ionnsaigh agus rug mi oirre nam bhial. Thug am fear a bha muigh an slaodadh ud suas ormsa, agus thug mise an ath shlaodadh airsan a nuas agus thug mi an làmh o 'n gualainn dheth.

Dh' fhalbh mi leatha agus shlaod mi dha 'n fhail agam fhìn i. Agus mun do thill mi, bha an làmh eile air tighean a stoigh agus air am pàisd' a thoirt air falbh ann an lùib nam badan.

Nuair a dhùisg na mnathan glùineadh 's a dh' ionndrainn iad am pàisde, choimhead iad fiach an robh mi fhìn ceangailte agus chunnaic iad nach robh. Cha robh dad ach cuilein coin a bha stoigh fhaotainn agus a mharbhadh agus fhuil 's a ghaorr a shuathadh ma m' bhial 's ma m' cheann fhìn. Agus nuair a dh' éirich bràthair mo mhàthar, chuir iad an ìre dha gura mi fhìn a dh' ith am pàisde.

' 'N ann 's e ceangailte? ' orsa bràthair mo mhàthar.

' Chan eil e ceangailt' idir,' ors àsan, ' sealla sìbhse agus chì sibh gu bheil e fuasgailte.'

Chaidh bràthair mo mhàthar far an robh mi fhìn agus chunnaic e gu robh mi fuasgailte.

' O, laochain,' ors esan, ' chan eil rathad agam air leigeil leat na 's fhaide.'

Ach bha mi fhìn gam liùgadh fhìn ma chuairt air agus gam shuathadh fhìn ris. Agus ghabh mi a seo a stoigh dha 'n chùl anns an robh mi agus shlaod mi mach an làmh mhór a bh' an a sin agus leig mi as i air bialaibh bràthair mo mhàthar agus choimhead mi air.

' O, 's fhìor sin, a laochain,' ors esan, ' seo a làmh a bha dianamh mo chreiche sa 's a chuir ceal air a' chloinn agam, 's cha bu tusa ; agus 's minig a bheireadh orm a chreidsean gur tu a dhianadh e.'

Cha deach mi fhìn a cheangal tuilleadh ach fhuair mi cead a dhol a mach feadh nan cnoc. Fhuair mi sràbh na faladh aig an fhear a thug leis am pàisde agus lean mi i gos na ràinig mi an cladach agus thòisich mi air sgiamhail 's air donnalaich an a shin.

' Ma tà,' orsa bràthair mo mhàthar agus e air an aire thoirt dhomh, ' tha an creutair ud ag iarraidh air falbh taobh eigin an diugh. B' fheàrr liom,' ors esan ri iasgairean a bh' aige, ' gum falbhadh sibh leis agus a' gheòl' a thoirt lìbh agus, ce 'r bith àit' a bheil e 'g iarraidh, cuiribh ann e.'

Leum mi fhìn air bòrd na geòladh agus chàirich mi m' urball a mach na stiùir oirre. Ràinig sinn eilein mór fada fàs bh' ana sin. Leum mi fhìn go tìr agus, cho luath 's a chaidh mi air tìr, thill sgioba na geòladh air ais.

Gu dé a chunnaic mi ach toigh anns an eilein agus smaointich mi, ma bha duine sam bith a' comhnaidh ann, gu feumadh gu robh bàt' aige bheireadh air ais 's air adhart e eadar an t-eilein agus tìr. Dh' fhalbh mi a chur cuairt air an eilein agus fhuair mi am bàta bhiodh aig an duine. Ghabh mi a nuas an uair sain chon an taighe agus, mun do ràini' mi an toigh, thachair an dithis chloinneadh a thugadh air falbh an toiseach orm.

Ghlac mi iad agus cheangail mi cùl ri cùl iad agus thug mi liom iad a dh' ionnsaigh a' chladaich agus chuir mi gu socair iad air ùrlar a' bhàta. Ghabh mi suas an uair sain chon an taighe air ais.

Choimhead mi gu fàilidh a stoigh air an dorus, agus bha an Tuaraisgeal Mór an a sin agus e air leith làimh agus am pàisde ma dheireadh a thugadh air falbh bho bràthair mo mhàthar aige na uchd agus e deoghal deocan sailleadh agus e fhéin na chadal as a chionn. Bha claidheamh aige crocht' air staing an taobh thall dheth. Smaointich mi agam fhìn, nam faighinn an claidheamh a thoirt bharr na staing gun m' fhaireachdainn agus gun cuirinn gu socair e air cùl na h-amhaich aige, le mi fhìn a bhualadh air a mhuin gun cuirinn an ceann bharr an Tuaraisgeil Mhóir.

'S e sin a rinn mi. Ghluais mi cho fàilidh 's a ghabhainn agus fhuair mi an claidheamh a thoirt bharr na staing. Shlaod mi as an truaill e agus rug mi gu socair nam bhial air agus leig mi as air cùl na h-amhaich aig an Tuaraisgeal Mhór e, bhuail mi mi fhìn air a mhuin agus thuit mi fhìn 's an claidheamh 's an ceann air an ùrlar. Thog mi liom an uair sain am pàisd' ann an lùib nam badan ann am bhial gos na chàirich mi 's a' bhàt' e. Thill mi an uair sain chon an taighe agus thug mi liom an claidheamh aige. Dh' fhuasgail mi am bàta agus chàirich mi m' urball na stiùir oirre ague thàini' mi a dh' ionnsaigh na carraig bho 'n d' fhalbh mi.

Thog mi mach as a' bhàta an dithist a bha ceangailte ri chéile, dh' fhuasgail mi iad agus dh' fhalbh iad nan ruith suas o 'n chladach. Rug mi fhìn nam fhiaclan air na badain a bha ma 'n phàisde agus bha mi tighean air mo shocair leis. Ach cha deach mi fad' o 'n chladach leis nuair a choinnich bràthair mo mhàthar mi, agus thug e fhéin leis e.

Bha mi fhìn ann am mios mór aig bràthair mo mhàthar an uair sain a chionn a' chlann fhaighean air ais dha. Agus 's e an rud a rinn e—rug e air an triùir mhnathan glùineadh a bha cur nam briag orm fhìn, agus chaidh an toirt as a chéile nan ceithir cheathramhnan eadar ceithir eich agus an losgadh ann an teine mór agus an luath a leigeil leis a' ghaoith.

Cha robh taobh a rachadh bràthair mo mhàthar as a dhéidh sin nach bithinn fhìn comhla ris.

Ach latha dhe na lathaichean chaidh e a choimhead air mo mhuime. Bha mi fhìn cho luatharach feadh an taighe, agus cha robh sin a' còrdadh ri m' mhuime. Dh' iarr i uair no dhà air bràthair mo mhàthar mo chumail modhail, ach cha robh mi fhìn a' toirt feairt. Ach uair dhe na h-uaireannan 's a nàdar ag éirigh oirrese le feirg rium fhìn, dh' éirich i 's fhuair i slachdan 's bhuail i orm fhìn e. Gu dé a' cheart shlachdan a bh' ann ach an slachdan a bhuail an Eachlair Urlair orm 's air mo dhithis bhràithrean nuair a rinn i madacha galladh dhinn. Agus anns an spot an deach a bhualadh a rithist ormsa leum mi nam dhuine air ais. Agus chaidh mi dhachaidh comhla ri bràthair mo mhàthar.

Agus sin agadsa a nist mar a chaidh an Tuaraisgeal Mór a chur go bàs. Agus seo dhut a nist an claidheamh aige."

Nuair a thug seann Rìgh na Gréigeadh an claidheamh dha, thàinig Mac Rìgh Éireann man cuairt leis agus chaith e an ceann dheth. Chrath e an t-ubhal a thug e bharr srian na fàlairidh, agus bha an fhàlairidh aige. Leum e ann an glac na dìollaid agus bha e an oidhche sin air ais ann an toigh an Ridire Dhuibh, an athoidhch ann an toigh an Ridire Dhuinn agus an treas oidhche—chuir e seachad i comhla ris an Ridire Gheal. Dh' innis e dha gach fear dhiubh mar a chaidh a thurus leis. Thàinig e a sin dhachaidh.

Dh' innis e dha 'n bhoireannach a dh' fhàg e stoigh nuair a thàinig e facal air an fhacal mar a chaidh a thurus leis bho 'n a dh' fhalbh e.

"Nist," ors ise ris, " am fear a dh' fhàg thu na shìneadh anns a' bheinn sheilg fo na geasaibh air taobh a' chnoic air an robh sibh 'g imirt—chan eil ann an diugh dheth ach torradan chnàmh ann am miosg fòlaich. Nuair a ruigeas tu e 's a thòisicheas tu air innse dha facal air an fhacal mar a dh' innis seann Rìgh na Gréigeadh dhut, chì thu na cnàmhan a' gluasad agus a' cruinneachadh ri chéile agus cuiridh tu as a chéil' iad. Cumaidh tu ort ag innse na h-eachdraidh agus chì thu an sin iad a' cruinneachadh ri chéile a rithist agus cruthachd duine tighean orra agus cuiridh tu as a chéile a rithist iad. Cumaidh tu ort ag innse na h-eachdraidh dha agus chì thu an sin na cnàmhan a' cruinneachadh ri chéile an treas uair agus cruthachd an duine tighean orra agus cha dhuir thu dragh sam bith orra an turus sin, agus éiridh e air a chasan comhla riut fhéin. 'S e an ciad fhacal a feir e riut : ' An d' fhuair thu claidheamh m' athar ? ' Canaidh tusa gun d' fhuair, agus sìnidh tu dhà e. Abraidh esan an uair sain : ' Càit am facas riamh lann as glaine 's as taine 's as guirme na an lann a th' an a sin ? ' Canaidh tusa ris gu bheil e glé mhath agus cho math 's a chunna tusa riamh ach gu bheil aon difir beag agad ga fhaotainn ann. Foighneachdaidh esan gu fiadhaich gu dé an deifir tha sin. Iarr thus' air a thoirt dhu's' air ais agus gun seall thu dha e. Nuair a gheobh thu an claidheamh nad làimh, cuir an ceann dhethsan leis, air neo cuiridh esan dhio's' e."

Dh' fhalbh e dha 'n bheinn sheilg agus, nuair a ràinig e an cnocan far na dh' fhàg e an duine fo na geasaibh, cha robh ann ach torradan chnàmh agus fòlach air fàs man timcheall. Thòisich e air innse dha, facal air an fhacal, mar a dh' innis Rìgh na Gréigeadh dha ma 'n dòigh anns an deach an Tuaraisgeal Mór a chur go bàs. Chunnaic e na chàmhan a' cruinneachadh ri chéile agus chuir e as a chéil' iad mar a chaidh iarraidh air. Chum e air ag innse na h-eachdraidh. Chunnaic e an sin na cnàmhan a' cruinneachadh ri chéile an darna h-uair agus cruthachd duine tighean orra, agus chuir e as a chéil' iad. Chum e roimhe ag innse na naidheachd. Chunnaic e an sin na cnàmhan a' cruinneachadh ri chéile an treas uair agus cruthachd duine tighean orra, agus cha do chuir e dragh sam bith orra. Agus air an turus sa dh' éirich e air a bhonn comhla ris fhéin.

" Tha thu air tighean," ors esan.

" Thà," orsa Mac Rìgh Eireann.

" Seadh," ors esan, " an d' fhuair thu claidheamh m' athar ? "

" Fhuair," orsa Mac Rìgh Eireann agus e ga shìneadh dha.

" Càit," ors esan, " am facas riamh lann as glaine 's as taine 's as guirme na an lann a th' an a sin ? "

" Tha e glé mhath," orsa Mac Rìgh Eireann, " agus cho math 's a chunnaic mise riamh, ach tha aon difir beag faoin agams' ann."

" Dé an deifir tha sin ? " ors esan gu fiadhaich.

" Thoir thusa dhomh e, agus seallaidh mi dhut e."

Shìn e air ais dha an claidheamh. Agus thàinig Mac Rìgh Eireann man cuairt leis agus shrad e dheth an ceann.

Leum e ann an glac na dìollaid air muin na fàlairidh agus thàinig e dhachaidh.

Chaidh bainis agus mór phòsadh a dhianamh dha fhéin agus dha 'n bhoireannach a bhuinnig e air an Tuaraisgeal Òg, Mac an Tuaraisgeil Mhóir. Agus dhealaich mise riutha.